EL GUION DE VIDA

José Luis Martorell

56

EL GUION DE VIDA

Prólogo de Javier Ortigosa

3ª edición

Desclée De Brouwer

1ª edición: febrero 2005
2ª edición: enero 2010
3ª edición: junio 2019

© José Luis Martorell, 2000

© EDITORIAL DESCLÉE DE BROUWER, S.A., 2000
Henao, 6 - 48009 Bilbao
www.edesclee.com
info@edesclee.com

 EditorialDesclee

 @EdDesclee

Impreso en España - Printed in Spain
ISBN: 978-84-330-1540-2
Depósito Legal: SE-2543-2005

A mis padres

ÍNDICE

Prólogo, *por Javier Ortigosa* 11

Introducción 13

PARTE I: ANÁLISIS TRANSACCIONAL 21
1. Los tres estados del Yo 23
2. Las Transacciones 29
3. Las Caricias 35
4. La Posición Existencial 37
5. Los Juegos Psicológicos 39

PARTE II: EL DESARROLLO DEL GUION 45
6. Hay alguien al teléfono que pide hora 47
7. La llegada a la familia 51
8. Primer bosquejo 69
9. La aparición del héroe 91
10. El guion dispuesto 105

PARTE III: EN TORNO AL GUION 121
11. Tipos de guion. 123
12. Visitando el cementerio 135
13. Sobre la función y necesidad de los guiones 141
14. Ilusiones, falacias y fantasías. 155

PARTE IV: LA PERCEPCIÓN Y LOS DEMÁS. 163
15. Las gafas del guion. 165
16. Los compañeros de reparto 171
17. El guion y otros aprendizajes 183

PARTE V: EL ABANDONO DEL GUION 189
18. El abandono del guion 191
19. El perro guardián del guion. 195
20. ¿Qué sucede en la terapia?. 203
21. Más allá del guion. 209

Bibliografía. 213

PRÓLOGO

por Javier Ortigosa

Supone para mí una gran satisfacción que mi buen amigo José Luis me haya pedido que presente su libro "El Guión de Vida". Y esto por un doble motivo: por mi relación, a lo largo de mi vida profesional, con una versión anterior de esta obra, titulada "Guiones para vivir", y por mi relación personal con el autor.

La lectura de la obra de José Luis me impactó muy profundamente, pues, aparte de la carga psicológica que tiene de por sí el Instrumento "Guión de Vida" del Análisis Transaccional, José Luis lo sabe presentar de una forma amena y con una claridad y agudeza que llevan al lector a plantearse y cuestionarse preguntas e interrogantes referentes a una temática muy fundamental en su vida y más concretamente en la referente al curso de la vida que ha escogido. Es un libro que he prestado a muchos alumnos y amigos, siempre con miedo a que me lo perdieran, pues es para mí uno de los tesoros de mi biblioteca personal, y todos los que lo han leído han sentido un impacto profundo semejante al experimentado por mí. Ha habido incluso algunos clientes míos, a los que les ha servido como base para su terapia personal. Por eso me satisface hondamente que el Profesor Carlos Alemany se haya decidido a incluirlo en la Colección Serendipity y no creo equivocarme al augurarle un gran éxito.

El segundo motivo de satisfacción para presentar esta obra proviene de mi relación personal con su autor. Desde hace quince años viene colaborando conmigo, con su gran amabilidad y simpatía, en mi tarea docente, proporcionando a mis alumnos de 5º de Psicología de la Universidad de Comillas un taller de fin de semana sobre el Análisis Transaccional como complemento de este tema de mi asignatura. Y a lo largo de estos quince años todos los alumnos que han participado en ese taller han vivido una profunda satisfacción al constatar el dominio del tema por parte de José Luis y su amenidad y simpatía al presentarlo.

Sólo añadir para terminar que también yo he percibido, en mi relación con José Luis ese aspecto entrañable y cercano, junto con una erudición que le han llevado a conseguir su plaza de Profesor Titular en la UNED. Precisamente estos aspectos de la personalidad del autor son los que dan un encanto especial a esta obra, haciéndola a la vez profunda y amena.

Espero que los lectores disfruten "serendipitimente" la lectura de esta preciosa obra.

Mi enhorabuena y agradecimiento a José Luis y un gran deseo de éxito para la obra que ahora nos ofrece.

Javier Ortigosa
Profesor de la Universidad Pontificia de Comillas, Madrid

INTRODUCCIÓN

Asomarnos a los cursos de vida de las personas es la propuesta de este libro. Reflexionar sobre la posible existencia de un hilo conductor que guía en algún sentido las vidas de las personas desde el día de su nacimiento al de su muerte, es nuestro objetivo. Como se ve, el tema no es cualquier cosa: nada menos que la vida de la gente. El tema es ambicioso, no cabe duda, pero también parece que es insoslayable para un ser humano. Por ello, todas las culturas conocidas se han ocupado de él: ¿es un azar ciego el que determina la vida de una persona?, ¿es su propia voluntad?, ¿o es una fuerza externa y poderosa la que provocará un curso de vida u otro? La idea de destino, la buena o la mala estrella, el ser maldito o favorito de los dioses, son algunas de las expresiones que se han acuñado en torno al interés por los cursos de vida.

Una de las manifestaciones más claramente humanas, narrar historias, sea mediante el cuento, la mitología, la biografía, la novela, el teatro o el cine, consiste principalmente en mostrarnos cursos de vida, de tal modo que cabe pensar que nuestro interés por las historias de Ulises, de Edipo, del agrimensor K., de Edison o de Peter Pan tienen, probablemente, una base psicológica común. En este libro el tema quedará acotado por la perspectiva elegida para abordarlo. Nuestro ámbito de estudio es la psicología clínica y los datos que desde este punto de vista tenemos sobre los seres humanos. En primer lugar, aquello que hace sentirse mal a las personas: depresión, angustia, miedos, sentimientos de incapacidad, fracasos, obsesiones y el sentido que todo esto tiene en relación con una vida. También atenderemos muy especialmente a las condiciones en que las personas cambian. A partir de todos estos datos, y comparándolos con los que nos aportan las personas cuyas vidas son satisfactorias, quizá podamos empezar a concluir algo sobre el tema que nos ocupa.

Desde el punto de vista del significado, nada de lo que a una persona le sucede esta aislado del resto de su vida. Borges dice: "cada palabra postula el universo"; de la misma manera podría decirse que en cada acto de una persona está contenida su vida entera. Esperamos una coherencia entre cada acto de una persona y su vida tomada en un sentido global. Dicho de otra manera, hay actos o sucesos que encajan en la vida de unas personas y no encajan en las de otras. Tanto la evidencia que proporciona la psicoterapia como la que proporciona la observación general nos muestran que las personas actúan como si hubieran incluido en su vida determinadas opciones y excluido otras. Pero si nos parece lógico que una persona haya excluido de su vida, por ejemplo, el fracaso –lo que no le librará de algún fracaso ocasional, que puede utilizar como una experiencia o un aprendizaje para un futuro éxito–, puede no parecérnoslo tanto que lo que una persona haya excluido de su vida sea el éxito (o la alegría, o la capacidad de pensar bien, o las relaciones satisfactorias). Sin embargo, así es, y a lo largo del texto se tratará de mostrar por qué, cómo y en qué circunstancias las personas incluyen en sus vidas opciones insatisfactorias, de malestar, y, en ocasiones, verdaderamente trágicas, y excluyen de ellas aquellas opciones que les harían sentir bien.

En el campo de la psicología, la idea de que las personas siguen cursos de vida que tienen, de un modo más o menos estricto, definidas las opciones que incluyen y las que excluyen fue formulada por Eric Berne. No ha sido el único, ni siquiera el primero, en entender de este modo la vida humana; tampoco basta con su teoría para entender esta cuestión (lo cual él es el primero en señalarlo en sus textos, algo bastante inusual en este campo), pero derivó su teoría de la experiencia clínica, es decir, del contacto con las personas, y desarrolló un lenguaje y unos instrumentos de análisis lo suficientemente claros y potentes como para que merezca la pena tenerlos en cuenta. A estos cursos de vida programados los llamó *guiones de vida*, y definió un guion como el plan de vida decidido en la infancia que abarca la vida entera de la persona. Todo el libro se dedicará a explicar esta aseveración, sus aplicaciones y las posibilidades de cambiar este plan.

Como cualquier plan, el guion de vida, puede ser desbaratado por fuerzas externas superiores a él. Un virus, una catástrofe natural, una guerra, una carretera mal señalizada o una piel de plátano en el suelo son circunstancias que pueden desbordar la intencionalidad de la persona. Pero tienen que ser fuerzas verdaderamente poderosas e imprevisibles para imponerse al guion, y sería imprudente no atender a las consecuencias de un plan que tiende a su cumplimiento sólo porque puede suceder algo extraordinario que lo impida. Obsérvese que es más probable morir en la carretera siguiendo un guion que excluya la prudencia, o morir de hepatitis B por haberse inyectado heroína con agujas usadas siguiendo un guion que no excluye las conductas autodestructivas.

El estudio de los guiones de vida es parte del cuerpo teórico del Análisis Transaccional (AT), teoría creada y desarrollada por Berne. El AT proporciona los elementos básicos para adentrarnos en el guion de vida que es, a nuestro juicio, la mayor aportación de esta teoría a la comprensión de la mente humana junto con los conceptos de transacción y de juego, que también se explicarán más adelante. La afirmación de Berne, a la que nos hemos referido antes, de la necesidad de complementar el AT con otros conocimientos, no sólo es un acto de sensatez y cordura que evita el pensamiento sectario y autorreferencial, tan habitual en psicología, sino que también permite centrarse en las virtudes del sistema en lugar de en la defensa, ocultación o negación de sus limitaciones. Estas virtudes son, en mi opinión, la claridad conceptual, el énfasis en la descripción y el afán por mantener el contacto con el punto de vista del hombre común.

A lo largo del texto se irá dando cuenta de los antecedentes, de las influencias y de las ideas provenientes de otras teorías que ayudarán a dotar tanto de profundidad como de extensión al concepto de guion de vida. El lector observará, en este sentido, como el psicoanálisis no es ajeno a los conceptos aquí presentados (Berne tenía una sólida formación psicoanalítica, si bien se fue alejando progresivamente de la ortodoxia de esta escuela); véase, como botón de muestra, el siguiente párrafo de Freud:

"Lo mismo que el psicoanálisis nos muestra en los fenómenos de transferencia de los neuróticos, puede hallarse de nuevo en la vida de las personas no neuróticas, y hace en las mismas la impresión de un destino que las persigue, de una influencia demoníaca que rige su vida. El psicoanálisis ha considerado desde un principio tal destino como preparado, en su mayor parte, por la persona misma y determinado por tempranas influencias infantiles. La obsesión que en ello se muestra no se diferencia de la repetición de los neuróticos, aunque tales personas no hayan ofrecido nunca señales de un conflicto neurótico resuelto por la formación de síntomas. De este modo, conocemos individuos en los que toda relación humana llega a igual desenlace: filántropos a los que todos sus protegidos, por diferente que sea su carácter, abandonan irremisiblemente, con enfado, al cabo de cierto tiempo, pareciendo así destinados a saborear todas las amarguras de la ingratitud, hombres en los que toda amistad termina por la traición del amigo; personas que repiten varias veces en su vida el hecho de elevar como autoridad sobre sí mismas, o públicamente, a otra persona, a la que tras algún tiempo derrocan para elegir otra nueva; amantes cuya relación con las mujeres pasa siempre por las mismas fases y llega al mismo desenlace". (Freud, 1920, p. 1096).

Freud acaba de describir unos cuantos guiones de vida, o segmentos de guiones, y a partir de observaciones como ésta desarrolló el concepto de compulsión de repetición: hechos o eventos que se repiten y marcan la vida de las personas. También las aportaciones de Adler, Spitz, Erik Erikson o Winnicott, entre otros, enriquecen notablemente el concepto de guion de vida. Por otro lado, las psicologías humanista y existencial aportan igualmente perspectivas e ideas sin las que el concepto de guion de vida perdería hondura (como se verá, la dimensión existencial es central en los guiones). Así, el lector puede, si no lo ha hecho ya, aprovechar la ocasión para tener el placer de introducirse en la obra de Rogers, de Rollo May, de Laing o de Victor Frankl.

Si se me permite un tono un poco más personal en esta introducción, diré que quizá es este el texto en que más claramente he integrado una visión teórica con mi experiencia en el ejercicio de la terapia. Los casos que presento como ilustración de uno u otro concepto, son casos reales en los que he tenido una participación directa como terapeuta. Obviamente, los nombres y alguna circunstancia han sido enmascarados o eliminados para garantizar el anonimato de las personas; muchas de ellas han leído lo que sobre ellas he escrito y han dado su permiso. Pero además de su permiso, le han prestado a este libro lo más vivo que hay entre sus páginas: historias de personas que se enfrentan a sus propias vidas. Entre la primera versión de este libro y la presente sólo hay diferencias puntuales, además de las lógicas de actualización de conceptos y referencias.

Sobre AT (y sobre otros temas poco publicables) llevo hablando veinte años con Lluis Casado, por lo que si el lector observa que, en un momento de debilidad, me atribuyo alguna idea (en el caso de que la idea tenga algún interés), puede sospechar que algo tendrá que ver Lluis con ella. Quiero, también, expresar mi agradecimiento a Javier Ortigosa, un hombre de la estirpe de los profesores que dejan huella (lo sé porque hace ya muchos años que trabajo con sus alumnos), por haber accedido a escribir la presentación y por el apoyo que ha prestado a este libro, apoyo que tiene mucho que ver con que el lector lo tenga ahora en sus manos.

PARTE I
ANÁLISIS TRANSACCIONAL

A continuación se van a presentar algunos de los principios y conceptos básicos del Análisis Transaccional. Se presentan aquí porque son conceptos que se manejarán cuando nos adentremos en el estudio del guion de vida. Están ordenados por epígrafes y subepígrafes de tal manera que si al avanzar en el texto, el lector necesita refrescar alguno, le sea fácil encontrarlo. De todos modos, los lectores que ya conozcan los principios básicos del AT pueden, sin ningún remordimiento, pasar directamente a la siguiente parte del libro. Otra posibilidad es utilizar este apartado como apéndice al que recurrir cuando en el texto aparezca un tópico nuevo. Como se ve, mi confianza en el lector es ciega. De paso, todo este párrafo es una transacción ulterior cuyo mensaje encubierto es que si esta sección les parece tediosa no se desesperen y avancen un poco más en el texto (la explicación de lo que es una transacción ulterior está precisamente en esta sección).

Para quienes deseen una más amplia información sobre el AT, es recomendable que lean alguna de las obras de Berne que se citan en la bibliografía.

1

LOS TRES ESTADOS DEL YO

La observación básica de la que parte el AT es la constatación de que las personas varían en su comportamiento según la situación o el momento en que están, y que esta variación supone cambios en el tono de voz, la postura, las actitudes, las emociones, etc., y todo ello de un modo consistente, es decir, la persona varía globalmente: pasa de un estado a otro.

Estos estados son auténticos Estados del Yo y se definen como un sistema de emociones y pensamientos, acompañado de un conjunto afín de patrones de conducta.

Los estados del Yo son tres, para todas las personas, si bien para cada persona tendrán unos contenidos diferentes y se manifestarán con distinta frecuencia. Veamos cuáles son y qué nombre se les da a cada uno de los tres estados del yo.

a) El Niño (Arqueopsique)

En muchas ocasiones las personas estamos actuando (sintiendo, hablando, pensando, percibiendo) en el momento presente del mismo modo en que lo hicimos cuando éramos niños. Cuando ante una situación respondemos o sentimos de este modo estamos en nuestro estado del yo Niño, aunque nuestra apariencia física sea de personas crecidas. Este estado queda fijado en la primera infancia. El Niño es el motor de la creatividad, el encanto y el empuje del ser humano; es también el depositario de los sentimientos más básicos de la persona. Lógicamente, es el estado más arcaico de la persona y donde quedan grabadas las primeras y más intensas experiencias e influencias que, como se verá más adelante, son decisivas para el guion de vida; e igualmente, dado que es donde están anclados los aspectos más positivos de la persona, pueden estar en él enquistados los problemas más serios que las aquejan.

a.1) El Niño Natural.– Cuando muestra sentimientos, es impulsivo, ama u odia, muestra alegría o rabia, deseo, y, en definitiva, muestra todo aquello que es espontáneo en él, se le denomina Niño Natural.

a.2) El Pequeño Profesor o Niño Intuitivo.– Es el aspecto del Niño en el que la intuición es primordial. Con el Pequeño Profesor los niños van entendiendo el mundo y respondiendo a él. Es creativo e imaginativo. Las personas crecidas que pueden contactar fácilmente con su Pequeño Profesor tienen en la intuición un apoyo importante para la vida.

a.3) El Niño Adaptado.– Es un aspecto del Niño de gran importancia para la comprensión del guion. Cuando se responde adaptándose a las exigencias del ambiente, porque se le capta más fuerte que uno mismo, se está en el Niño Adaptado. Las adaptaciones forman parte de la vida y es una cuestión de adecuación el que sean un factor positivo o negativo en la persona. Las buenas adaptaciones liberan de la exigencia de redescubrir la realidad en cada acto. Las malas reproducen el ambiente opresivo o timorato en que se implantaron. En estos casos hay sentimientos de miedo, culpa o vergüenza. A veces la adaptación se exterioriza como sumisión (el Niño Adaptado Sumiso), y a veces como rebeldía (el Niño Adaptado Rebelde), pero en muchas ocasiones es una rebeldía que no libera a la persona, porque en realidad no cuestiona la causa que le oprime (por ejemplo, en parejas donde uno de ellos protesta de las imposiciones del otro, y cada tanto tiempo se niega a aceptarlas pero vuelven a caer una y otra vez en la misma relación). La rebeldía útil utiliza la energía del Niño Rebelde y la información y decisión del Adulto.

b) El Padre (Exteropsique)

Cuando la persona actúa, habla o piensa como lo hicieron sus padres (o las personas que en su infancia estuvieron en lugar de ellos) y, en general, aquellas personas que eran importantes y con poder cuando era pequeño, está en su estado del yo Padre. Es, como se ve, un estado del yo que actúa imitando a otras personas (aunque al crecer no se sea consciente de ello). El Padre proporciona ideas sobre la vida y sobre cómo hay que hacer o no hacer las cosas; pero como las hemos incorporado tal cual las vimos, estas ideas y normas son poco flexibles. Incluso aunque no estemos en este estado del yo influye en nuestra conducta con lo que se llama "influencia parental", que funciona como una conciencia. Las personas recurrimos a usar nuestro Padre en situaciones que nos producen inseguridad, buscando alguna idea o norma que nos permita resolverlas. El problema básico con el Padre consiste en utilizar una norma o idea fija en lugar de un auténtico razonamiento. El estado del Yo Padre realiza dos funciones:

b.l) El Padre Crítico.– Ordenar, poner límite, decir lo que está bien y lo que está mal, ser firme. Como se ve son situaciones en las que, de un modo u otro, se es autoritario. A veces es necesario, pero muchas personas utilizan el Padre como si siempre lo fuera.

b.2) El Padre Protector.– Dar ayuda y confianza, proteger, prevenir contra peligros. Si dentro de nosotros el Padre Protector está muy desarrollado, es decir, es sobreprotector, impedirá nuestra autonomía, y nosotros tenderemos a sobreproteger a los demás impidiendo la suya.

Si el Padre dentro de nosotros contiene aspectos positivos (firmeza sin autoritarismo y apoyo sin sobreprotección) tendremos un aliado en nuestra personalidad; en caso contrario (una parte de nosotros restrictiva y asfixiante) tendremos un enemigo.

c) El Adulto (Neopsique)

Es el estado del yo que es capaz de analizar lo que está pasando aquí y ahora sobre la base tanto de lo actual como de la experiencia pasada. Actúa con el modelo de una computadora (o mejor dicho, las computadoras tratan de imitan el modelo ideal de razonamiento del Adulto) analizando los datos, procesando información y llegando a resoluciones. En sí mismo carece de emociones, pero un buen Adulto tendrá también en cuenta los datos que proceden del interior de la persona (la experiencia previa que él tiene, los datos del Niño y los del Padre) para dar respuestas adecuadas. No hay que confundir el estado del yo Adulto con un adulto, una persona crecida. El ideal no es un frío análisis de datos, sino que estaría más cerca de la persona que, junto a la capacidad de análisis, es capaz de expresar sentimientos, de jugar, de proteger, etcétera.

En ocasiones algún aspecto del Niño o del Padre contaminan al Adulto haciendo aparecer como un razonamiento algo que en realidad no lo es. Las contaminaciones que provienen del Padre son los prejuicios (por ejemplo, los andaluces son perezosos), y las que provienen del Niño producen un tipo de pensamiento mágico e irracional que procede de algún deseo o miedo del Niño (por ejemplo, un padre que advierte a su hijo sobre lo difíciles que son las mujeres porque su Niño tiene miedo de ser abandonado).

Se habrá observado que los estados del yo se escriben siempre con mayúscula, Padre, Adulto, Niño, para diferenciarlos de personas que en una época de sus vidas sean padres, adultos o niños. Esta norma se mantendrá a lo largo de todo el texto. Los términos exteropsique, neopsique y arqueopsique son equivalentes formales de los anteriores y no se utilizarán en el texto.

Como se ve, será muy diferente la respuesta a una situación según utilicemos el Padre, el Adulto o el Niño. Además, como las personas hemos tenido infancias diferentes, padres o cuidadores diferentes (incluso entre hermanos se los vive de forma diferente según se sea mayor, el segundo, etc.) y tenemos capacidades diferentes, no hay una personalidad igual a otra. La siguiente tabla resume la estructura y funciones de la personalidad según el AT.

Tabla 1
Estructura y funciones de la personalidad

Estructura	Funciones
PADRE (Exteropsique	Padre Crítico Padre Protector
ADULTO (Neopsique	Actuación desde el aquí y ahora Autoconocimiento
NIÑO (Arqueopsique)	Niño Natural Intuición Niño Adaptado: Sumisión y Rebeldía

No hay estados del yo "buenos" o "malos". Los tres son necesarios para un equilibrio personal. Ningún estado que excluya a los otros dos puede garantizar el bienestar. Necesitamos de los tres, y los tres pueden ser adecuados en un momento u otro.

2

LAS TRANSACCIONES

El AT es una teoría que atiende muy especialmente a la comunicación entre las personas. El énfasis actual en la información y la comunicación a llevado a Claude Steiner –uno de los autores "históricos" del AT y de una gran influencia en la teoría del guion de vida– a proponer recientemente (Steiner, 1998) la especial idoneidad de este sistema para tratar los temas relativos a la información y la comunicación. El principal instrumento que utiliza para ver cómo es y qué significa esta comunicación es el análisis de las transacciones, de donde toma nombre el sistema.

Definimos una transacción como la unidad de comunicación social. Cuando una persona emite un estímulo al que otra persona responde, incluso cuando responde ignorando ese estimulo, se ha completado una transacción.

El modo de analizar transacciones consiste en atender a los estados del yo implicados en la comunicación de las personas que intervienen en ella.

Ejemplo l:

A: "¿Qué tal día hace?" (Adulto que busca un Adulto).

B: "Llueve mucho" (Adulto que responde buscando un Adulto).

Los diagramas son muy útiles para analizar transacciones. El ejemplo 1 se diagramaría así:

Diagrama 1

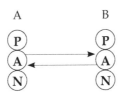

Ejemplo 2:

A: "¡Eres lo más burro que he visto en mi vida!" (Padre Crítico que busca el Niño Sumiso).

B: "Tienes razón, soy tan burro" (Niño Sumiso que se dirige a un Padre Crítico).

Diagrama 2

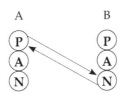

Como se puede observar, las personas implicadas en los ejemplos 1 y 2 podrían estar comunicándose en esos términos indefinidamente; no hay nada en la propia comunicación que impida hacerlo. Las transacciones que son de este modo se llaman *complementarias*. Es importante hacer notar que complementario no es sinónimo de sano (es evidente que una relación basada en una transacción como la del ejemplo 2 lleva muchos malos sentimientos implicados), con frecuencia el cambio necesario para salir de una situación penosa supone no aceptar un determinado tipo de transacciones complementarias. Veamos otro tipo de transacciones.

Ejemplo 3:

A: "¿Qué tal día hace?" (Adulto que busca un Adulto).

B: "¡Oye, tío vago, ¿por qué no te asomas tú a la ventana y lo ves?!" (Padre Crítico que busca un Niño Sumiso).

Diagrama 3

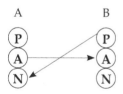

Ejemplo 4:

A: "¡Eres lo más burro que he visto en mi vida!" (Padre Crítico que busca el Niño Sumiso).

B: "Pero qué guapa estás cuando te enfadas" (Niño Natural que busca un Niño Natural).

Diagrama 4

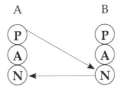

Se ve que en este tipo de transacciones la comunicación no puede seguir como se inició: o uno de los dos cambia, o la comunicación queda interrumpida. Este tipo de transacción se denomina *cruzada* y al igual que las complementaria no es en sí mismo sano o insano: a veces es sano cruzar una transacción cuando la situación complementaria es negativa, y a veces la necesidad de alguien de cruzar transacciones refleja un problema en la persona.

En ocasiones es muy útil tener en cuenta un tercer tipo de transacción, la transacción *ulterior*. Es una transacción que lleva algo oculto: aparentemente es de un estado del yo, pero en realidad es de otro.

Ejemplo 5:

A (él): "Tengo en mi casa unos magníficos grabados chinos, ¿quieres verlos esta noche?" (qué te parece si...)

B (ella): "Sí, estoy muy interesada en el arte chino" (me parece muy bien)

Diagrama 5

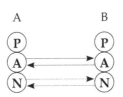

(El mensaje aparente se diagrama con flechas continuas y el mensaje real con discontinuas.)

Las transacciones ulteriores no siempre resultan tan entretenidas como en el ejemplo. Pueden ser manipuladoras y provocar un malestar grande en la comunicación. Cuando hay una abundancia de ellas algo va mal en la comunicación entre las personas implicadas.

3

LAS CARICIAS

El término "caricia" procede de las investigaciones realizadas con recién nacidos y niños durante su primer año de vida. Se observó que las caricias, el contacto físico que transmite alguna emoción, eran totalmente necesarias para el buen desarrollo del niño e incluso para su supervivencia. A partir de este hecho cualquier contacto, acción, mensaje, tanto físico como verbal o simbólico, con que una persona transmita a otra algún tipo de reconocimiento, tanto positivo como negativo, se llama caricia. La caricia es, pues, la unidad de reconocimiento social.

El reconocimiento es tanto transmitido por una sonrisa como por una mueca de desprecio. En los dos casos el receptor ha sido atendido. Las caricias tienen un gran valor en sí mismas y buena parte de nuestra conducta se orienta a conseguirlas.

Hay tres clases de caricias:

a) Positivas.– Transmiten aceptación, resaltan cualidades o aspectos ciertos y positivos en la persona. Funcionan como una invitación a sentirse bien.

b) Negativas.– Rechazan o desvalorizan a la persona, buscan aspectos negativos y empujan a sentirse mal.

c) Mixtas.– Aparentemente es una caricia positiva pero ulteriormente es una caricia negativa.

Ejemplos de caricias mixtas:

"Qué majo eres para ser catalán" (o madrileño).

"Eres la mujer más eficaz de esta oficina".

Un fenómeno importante con respecto a las caricias es que si una persona no obtiene fácilmente o pierde su fuente habitual de caricias positivas, tenderá a sustituirlas por caricias negativas. La ley psicológica que subyace es:

Las caricias positivas son mejores que las negativas, pero las negativas son mejores que nada.

Esta ley puede explicarnos conductas aparentemente paradójicas de algunas personas: por ejemplo, por qué algunas personas parece que buscan el castigo o la crítica con su comportamiento.

En AT hay una norma que en muchas ocasiones es de una ayuda decisiva para entender una situación: "Cuando no entienda qué pasa en una situación, tradúzcala a caricias". Es decir, interpretar la situación en términos de qué caricias se están pidiendo, dando, aceptando o rechazando.

4

LA POSICIÓN EXISTENCIAL

Las posiciones existenciales son los sentimientos que tenemos acerca de nosotros mismos y acerca de los demás.

La posición existencial la adquirimos muy tempranamente en nuestra vida y está expresada en términos muy básicos: estar bien o no estar bien: la combinación de estos sentimientos da lugar a las cuatro posiciones existenciales.

a) Yo estoy bien, tú (los demás) estás bien. Es una posición de vida que permite la apertura hacia uno mismo y los demás; es una posición de libertad interna.

b) Yo estoy mal, tú estás bien. Es la posición de inferioridad; hay sentimientos de impotencia y desventaja frente al mundo.

c) Yo estoy bien, tú estás mal. Es la posición de superioridad; hay una necesidad interna de sentirse en ventaja a costa de los demás.

d) Yo estoy mal, tú estás mal. Es una posición de desesperanza; internamente se siente que no hay posibilidades ni en uno mismo ni en los demás de salir adelante.

Aunque ocasionalmente podemos sentirnos en cualquiera de las cuatro, una de ellas, y sólo una, será nuestra verdadera posición existencial a la que volvemos una y otra vez. Nuestra posición existencial es un auténtico marco psicológico en el que se inscriben nuestras experiencias. Es fácil deducir que valoraremos e interpretaremos nuestra experiencia de un modo diferente según cual sea nuestra posición existencial.

A lo largo del texto se profundizará en este tema, fundamental para la comprensión del guion de vida, y se discutirán aspectos tales como la posición existencial de la que se parte al nacer y la posible variación a otras.

5

LOS JUEGOS PSICOLÓGICOS

Se denomina Juego Psicológico a un modo particular de relación entre dos o más personas que tiene las siguientes características:

a) Son situaciones que se repiten una y otra vez.

b) Suceden siempre de un modo similar, como si estuviera ensayado.

c) Al final, todos los que intervienen reciben su "premio": sentirse mal de una u otra forma.

Es decir, un Juego consiste en una serie de transacciones ulteriores que progresan hacia un resultado previsto y bien definido (sentirse mal).

Los Juegos forman parte central de la vida de muchas personas. Cuando una persona siente que íntimamente las cosas van mal y se siente impotente para cambiarlas, es altamente probable que esté repitiendo un Juego una y otra vez sin ser consciente de ello. Berne le dio una importancia especial a este modo de interacción, dedicándole un libro (Berne, 1964).

Veamos algunos ejemplos de Juegos:

Ejemplo l: "Sólo quería ayudar": Inocencio es educador de calle; cada cierto tiempo María de las Angustias le pregunta ansiosamente sobre qué hacer con su hijo heroinómano; él, cada vez, dice qué hacer; al cabo de un tiempo María de las Angustias viene enfadada y le dice que lo que le dijo no ha funcionado; Inocencio se siente mal y dice "yo sólo quería ayudar".

Ejemplo 2: "Sí, pero": En la reunión de un grupo habitual cada vez que se piden alternativas para ser más eficaces por parte del líder, los miembros del grupo las van dando; al líder le parecen bien, pero... siempre hay un pero. Al final todos se sienten confusos cuando el líder critica al grupo por no aportar soluciones válidas.

Los ejemplos de situaciones de este tipo se pueden multiplicar casi indefinidamente, y están en la base del fracaso, malestar, enfermedad y de los sentimientos negativos de muchas personas, parejas y grupos. Es por esta razón, su frecuencia y su influencia en el malestar de la gente, por lo que es importante aprender a identificarlos.

Los Juegos responden a una fórmula que, por diferentes que sean sus contenidos, se repite siempre igual.

Fórmula de los Juegos:

CEBO.– Estímulo que lanza el primer jugador. Lleva algo oculto, destinado a enganchar alguna característica sensible de otra persona.

FLAQUEZA.– La parte débil del segundo jugador que responde al cebo.

RESPUESTA.– Acción o frase con la que el segundo jugador entra en el Juego.

CAMBIO.– El primer jugador cambia en su actitud y, generalmente, el segundo cambia también.

BENEFICIO.– Ambos jugadores "ganan" sentirse mal, junto a otra serie de beneficios más profundos.

Veamos la fórmula en el ejemplo l: el cebo lo pone María de las Angustias pidiendo soluciones como quien pide cosquillas; la flaqueza es la de Inocencio de sentirse obligado a dar soluciones rápidas cada vez que se las piden; la respuesta es la orientación que da Inocencio; el cambio sucede cuando María de las Angustias viene hecha una furia diciendo que no le sirve, y cuando Inocencio se siente confuso, él, que sólo quería ayudar; y finalmente el beneficio es sentirse los dos mal (además de otros de carácter existencial).

Si esto hubiera sucedido una o dos veces, no tendría por qué ser en sí mismo un Juego, pero si se ha repetido entre Inocencio y María de las Angustias un buen número de veces, es que están obteniendo algo con ello.

Como primer acercamiento al beneficio que producen los Juegos (los Juegos han sido tratados más extensamente por nosotros en otros lugares: Martorell, 1983, 1994, 1998), diremos que los Juegos se juegan para experimentar determinados sentimientos que tienen un significado existencial (por ejemplo, sentirse defraudado por los demás puede tener un gran significado para justificar por qué no se confía en nadie); además, los Juegos llevan aparejados una buena cantidad de caricias, aunque sean negativas, que son intensas y seguras; y los Juegos también evitan el enfrentarse a situaciones temidas, como la intimidad (mientras María de las Angustias pide recetas, la responsabilidad está fuera de ella y puede no enfrentarse a sus sentimientos íntimos si éstos la atemorizan).

Una herramienta importante para entender los Juegos y a las personas que en ellos participan, procede de la observación de los papeles que la gente toma dentro de ellos. Se ha observado que estos papeles se reducen a tres: Perseguidor, Salvador y Víctima. Dentro de un Juego las personas cambian, frecuentemente de un modo espectacular, de uno a otro; a estos papeles o roles se les conoce como el Triángulo Dramático. Las personas los toman no conscientemente y responden a necesidades básicas de la persona.

No son verdaderos perseguidores, salvadores o víctimas: un policía que detiene a un asesino es un perseguidor real; un bombero que saca a un niño de entre las llamas es un salvador real; y un encarcelado por defender sus ideas es una víctima real. Los Perseguidores, Salvadores y Víctimas psicológicos fuerzan la realidad para poder perseguir, salvar o victimizarse.

El Perseguidor necesita que le teman, e "invita" a sentir temor.

El Salvador necesita que le necesiten, e "invita" a sentirse inútil y agradecido a él.

La Víctima necesita que le humillen o que le venzan, e "invita" a sentir culpa.

Una advertencia importante a la hora de utilizar la teoría de los Juegos, es que éstos no pueden ser simplemente eliminados, sino que deben ser sustituidos por modos de relación más sanos. Por lo tanto, la acción sobre los Juegos debe ser siempre doble: si elimino una fuente de caricias negativas, debo al mismo tiempo propiciar un nuevo modo de obtener caricias positivas.

La relación entre Juegos y guion será vista en un capítulo posterior del texto.

PARTE II
EL DESARROLLO DEL GUION

6

HAY ALGUIEN AL TELÉFONO
QUE PIDE HORA

Algunas personas, en un determinado momento de su vida, toman el teléfono, marcan el número de un psicoterapeuta del que las más de las veces sólo tienen las imprecisas referencias que les dio un conocido o una institución, y piden ser atendidos.

Generalmente esta decisión sucede a una experiencia particularmente penosa en la vida de la persona que cristaliza sensaciones y sentimientos que estaban soterrados anteriormente y deja como más visible consecuencia sentimientos de angustia e impotencia. Otras veces, este sentimiento de angustia e impotencia no sucede a ninguna experiencia especialmente relevante sino que aparece como un cambio en la cualidad del modo de sentirse y sentir el mundo después de un largo tiempo en el que se fueron acumulando pequeñas cosas.

En uno y otro caso, la persona se decidió por un psicoterapeuta en lugar de por cualquier otra alternativa: pedir orientación a su mentor religioso, dejarse aconsejar por un amigo, tragarse un tubo de pastillas, abandonar el trabajo y dedicarse a la literatura o irse al campo, hacerse alcohólico, teñirse las canas y dejarse crecer la coleta, engancharse a la heroína, divorciarse o comprometerse con alguna filosofía radical (esta lista, que va desde pedir ayuda hasta suicidarse no quiere ser pintoresca, es simplemente lo que la experiencia nos dice que las personas hacemos muchas veces en una situación como la descrita).

En ocasiones, la psicoterapia no se elige en lugar de esas alternativas sino después de alguna de ellas: después de uno, dos o tres intentos de suicidio, o cuando la persona se presenta ya como alcohólico o heroinómano. Otras veces la persona recurre a la terapia al mismo tiempo que otra cosa, por ejemplo, al poder curativo o relajante de las hierbas. Y en otras ocasiones, la psicoterapia es elegida previamente a otra alternativa: "si esto no funciona, me mataré".

Pero sea lo que sea lo que haya decidido hacer, el tiempo que se haya tomado, y lo que tenga previsto para un futuro, todo será coherente con su persona; de un modo obvio u oculto tendrá un valor de mensaje: "éste soy yo y ésta es mi historia".

Todo esto está, o debiera estar, en la cabeza del terapeuta cuando unos días o semanas después de la primera llamada telefónica la persona está con él en la sala de terapia. Además posee otros datos: tal vez pidió la sesión "cuanto antes y a la hora que usted me diga", o tal vez después de dejar claro la urgencia de su caso puso inconvenientes a la hora que se le daba porque "así perdería toda la tarde"; al saludarle en la puerta del despacho quizá se presentó decaído, natural o animoso frente a la adversidad: eligió su mejor ropa pero no se afeitó, cruzó las piernas bien altas y ajustó sobre las rodillas el borde de su falda; obvió el tema del dinero, lo afrontó con claridad o le pareció que la terapia iba a ser ya demasiado gasto además de cambiarse de coche y meterse en un piso. Y lo más importante: puede que, clara o veladamente, siendo consciente de ello o no, pida "curarse", o quizá sólo pida mejorar, o incluso cambiar lo justo para que todo siga igual pero con menos sufrimiento, y también algunas veces es posible que pida que le demuestren una vez más que nadie puede hacer nada por él.

Quizá a algún lector no familiarizado con la terapia le puedan parecer paradójicas algunas de las posibilidades anteriores, como poner reparos a la hora de la sesión cuando se está angustiado, o invertir tiempo y dinero en sentirse un caso sin solución, pero si posee la paciencia necesaria para avanzar en el texto puede que vaya encontrando la lógica interna de acciones y conductas de este tipo.

A fin de cuentas, su camino no irá muy alejado del camino del terapeuta profesional. En ese momento, es decir, escuchando a la persona en la primera sesión y teniendo presente lo que hemos expuesto más arriba, el terapeuta inicia la tarea de comprender, primero él para que luego su comprensión sirva a la persona, cómo esa manera de sufrir, de incapacitarse o de fracasar, esa media sonrisa o ese gesto concreto, ese modo de vestirse, esos miedos, tales o cuales palabras, lo que espera o su desesperanza, como todo eso que es ahora tiene que ver con su historia, o dicho de otro modo, cómo se las ha arreglado para que ahora le pase lo que está pasando.

Y el terapeuta quiere entender todo eso porque sólo de este modo se podrá saber qué es lo más probable que suceda en el futuro, cómo continúa la historia de esta persona de un modo coherente con lo que hasta ahora ha pasado. Es decir, comprender el guion donde tener una fobia, estar deprimido, ser alcohólico o perder inevitablemente los empleos o la pareja tiene un sentido, una razón de ser, con una fuerza que al menos hasta el momento de comenzar la terapia es más fuerte que el impulso de estar bien. Enfrentar a la persona con el presente y el futuro que pide ese guion es un primer objetivo de la terapia.

Para ello, será necesario comprender primero en qué consiste un guion, cómo se formó, por qué se necesitó y por qué fue ése y no cualquier otro, y todo esto tal vez requiera ir muy atrás en el tiempo, a veces sorprendentemente lejos. Nosotros, para explicar la naturaleza y la formación del guion, vamos a ir en el capítulo siguiente al momento en que un niño nace en el seno de una familia. Tal vez descubramos enseguida que no hemos ido lo suficientemente lejos.

7

LA LLEGADA A LA FAMILIA

a) La primera escena

(Traveler)

"Me he imaginado una habitación grande que sólo está iluminada en el medio. Yo estoy en la cuna. Mi madre está a mi lado y mi padre más lejos, se están mirando sonrientes. Les he visto jóvenes y guapos. Mi padre se acerca a la cuna y me coge en brazos. Mi madre se acerca a sostenerme también. Yo les miro a los dos, un poco expectante y también contento".

(Gregorovius)

"Estoy llamando a la puerta... soy pequeño pero estoy de pie y con una maleta en la mano. Nadie me abre y me angustio un poco. Me parece que quería irme, pero veo que está la puerta abierta y entro. Están mi madre y mis hermanos, sentados por ahí haciendo cosas. Me miran sin mucho interés. Yo me voy a un rincón y empiezo a deshacer mi maleta".

(Babs)

"Me he visto de pequeña apareciendo en el medio de una sala. Estaban mi madre y mis hermanos, que eran muy pequeños. Mi madre me miraba angustiada y a punto de llorar, entonces yo pensaba que tenía que hacer algo y me ponía a cuidar a mis hermanos".

Acabamos de escuchar a tres personas después de realizar un ejercicio en sus grupos de terapia en el que se pedía que, tumbados boca arriba en el suelo, relajados y en penumbra, imaginasen el día en que "llegaron" a su familia, de un modo dramatizado. Por supuesto, son reelaboraciones a partir del momento presente que vive la persona pero es posible que trabajando y profundizando en ellas nos encontremos que para la inmensa mayoría de las personas son, a nivel psicológico, las auténticas primeras escenas de sus guiones. Dicho de otro modo, puede haber una coherencia íntima entre esa primera escena y el triunfo o el fracaso, el dolor o el bienestar que en el momento presente sufren o disfrutan esas personas, así como con lo que tiene previsto para su futuro. Pero no quiere decir que todo esté explicado en esa primera escena, hay acontecimientos posteriores de capital importancia (aunque a veces la persona los incorpora en la reelaboración de la primera escena), que influyen decisivamente en la formación del guion de vida; sin embargo, un análisis atento de la primera escena es muy útil para arrojar luz sobre el guion de una persona.

Para ilustrar lo anterior, añadamos algunos datos a los tres casos presentados al principio del capítulo:

En el momento de realizar el ejercicio, Traveler tiene 25 años, ha terminado estudios superiores y se permite ser inteligente y gustar. Plantea problemas en el nivel de éxito personal por el que está dispuesto a luchar.

Gregorovius tiene 28 años. Es heroinómano.

Babs tiene 33 años, es asistente social, está soltera y vive en la casa paterna. Tiene frecuentes depresiones en las que los temas recurrentes son la futilidad de su vida y la ingratitud de la gente. Además tiene serias dificultades para permitirse la sexualidad, dificultades que últimamente vive con mucha angustia.

Parece claro que muchas veces necesitaremos más información que la que aporta la primera escena para comprender la situación actual de la persona, pero no sería muy inteligente por nuestra parte no atender debidamente a la muy significativa e importante información que se encuentra en ella.

Señalemos otro hecho en torno a la primera escena: una mayoría de personas en el momento de reelaborar su primera escena no les parece significativa, es en un período más avanzado de su análisis personal cuando adquiere una verdadera significación. Por ejemplo, Babs no relacionó en ese momento su "llegada" a la familia como Salvadora (cuidar a los hermanos para así cuidar a la madre) con algunos aspectos, relevantes al ponerlos en conexión, de su vida actual: su profesión, no abandono del hogar paterno, su queja de ingratitud (típica de los Salvadores). Más adelante, cuando se enfrentó a su guion, tomó todo su significado. Este hecho, la no excesiva importancia que muchas personas dan a la primera escena en lo referente a su significación en un primer momento, para más adelante dotarla de una importancia en ocasiones decisiva, nos permite pensar que la reelaboración de la primera escena tal como la vivencia no está hecha, en la mayoría de los casos, para cuadrar hechos que la persona necesita justificar (en la minoría de los casos en que es así, el grado de sutileza con que esté hecha influirá en el mayor entorpecimiento y retraso del análisis del guion), sino que es auténtico reflejo de lo que la persona siente que fue su nacimiento psicológico.

Hemos visto algunos ejemplos de cómo la persona vive su propio nacimiento psicológico, el comienzo de su guion. De hecho desde un punto de vista práctico, lo que tenemos al principio es lo que la persona recuerda, siente, reelabora o fantasea sobre sí misma. La primera escena es el producto de lo anterior, y es una información extremadamente útil. Pero ahora vamos a cambiar el punto de vista, nos vamos a situar fuera y vamos a ver así qué sucede cuando un niño nace.

Se recordará que al final del capítulo anterior nos preguntábamos si situarnos en el momento en que un niño nace era ir lo suficientemente lejos para averiguar todo lo que interesa con respecto a su guion. Seguramente, analizando lo que ya le está esperando al niño cuando nace, lleguemos a una conclusión.

En el caso más común le están esperando sus padres, cuya vida va a cambiar en mayor o menor grado por causa del niño y, por lo tanto, tienen unos sentimientos u otros: puede ser un hijo querido o no por ambos o por uno de los dos, puede venir para salvar el matrimonio, para forzar a él, para complicarle la vida al padre, a la madre o a ambos, para hacerles felices, etc.; en cualquier caso, desde que se sabe que ese niño va a nacer, pero aún no se sabe siquiera si será niño o niña, ya tiene un papel, ya está cumpliendo una función y provocando unos sentimientos. Estos sentimientos tienen fundamentalmente origen en el Niño de los padres y quizá se encuentre contento y esperanzado con la idea de tener un hijo, pero puede ser que su Niño tenga miedo de no poder atenderle, o crea que le va a quitar el amor de la pareja y lo viva interiormente como un competidor, o sienta rabia contra él porque viene a cortarle su carrera profesional. También puede ser que el Niño de uno de los padres le esté esperando ansiosamente para que le salve de la soledad, o justifique su vida, o le dé tareas con las que estructurar su tiempo durante algunos años. Sean cuáles sean estos sentimientos, en la medida que sean más fuertes, con más seguridad le serán transmitidos al niño cuando nazca, y esto tanto puede darse de un modo obvio como sutil, más adelante veremos ejemplos.

Pero no sólo estos sentimientos, con ser fundamentales, están esperando al niño. Quizá le esté esperando toda una brillante trayectoria de marino o de médico, como su padre y su abuelo y tal vez su bisabuelo. O la carrera que no pudo hacer su padre. Seguro que le espera un nombre: quizá el de uno de sus progenitores, o el del "gran hombre" de la familia, tal vez el del tío abuelo aquel, tan rarito él, que acabó pegándole fuego a la casa y luego se colgó de un árbol. A veces le está esperando el sexo del que tiene que ser (hemos comprobado que esta expectativa puede ser más fuerte que la evidencia). Puede que el padre tenga los papeles listos para hacer al hijo socio del Atlético de Madrid nada más nacer, y quizá ya le ha comprado toda una colección de clásicos de aventuras para que el niño lea en un futuro.

Es decir, que además de que ya tiene un papel atribuido por los sentimientos que provoca en los padres, puede que tenga también un sexo, un nombre, una carrera, unos libros que leer y hasta un deporte al que aficionarse y un equipo al animar. Evidentemente, algunos aspectos de esta vida precocinada que espera al niño pueden ser simpáticos e incluso serle de ayuda y otros simplemente inocuos, éste será un tema que se verá con mayor amplitud más adelante al hablar de mensajes y permisos, pero en cualquier caso, todo lo anteriormente expuesto nos permite afirmar que en el momento de nacer el niño es responsable –puede ser vivido consciente o inconscientemente como responsable– de unos sentimientos que pueden ser muy duros, y ya es objeto de unas expectativas que es posible que impliquen áreas muy importantes de su vida futura. Todo eso el niño lo captará como mensajes que vienen de fuera de él.

b) La relación con la madre

En la primera etapa de la vida del niño el factor fundamental a tener en cuenta es la relación con la madre o su sustituto. No sólo le va a permitir sobrevivir, sino que también le va a permitir distinguirse del resto del mundo (el nacimiento del yo), y saber que hay otras personas (la madre es la primera "otra" persona que identifica el niño). Aclaremos, por si fuera necesario, que el hecho de destacar la importancia de la diada madre-bebé en primer lugar no ignora ni minimiza la importancia del padre o de la familia. Es el sistema familiar el que coloca al niño, utilizando la acertada expresión de Kaye (1982), en la posición de aprendiz del sistema, y el que enmarca –es decir, limita– la actuación de la madre con el bebé; por eso hemos titulado este capítulo "la llegada a la familia". Teniendo en mente esta aclaración, insistamos: la relación con la madre define el primer modo social de estar en el mundo que precede a todos los demás.

Esa relación es fundamentalmente un intercambio emocional y en ese intercambio emocional la madre va a transmitir al niño, de una manera muy básica pero también muy intensa, una buena parte de los sentimientos y las actitudes emocionales que subyacen a todo aquello que en la sección anterior hemos visto que está esperando al niño desde antes de nacer. Examinaremos a continuación algunos datos sobre lo que sabemos de esa primera relación madre-hijo.

Como ya hemos señalado la relación madre-hijo es la primera relación social. En cuanto tal relación comienza por presentar una particularidad muy especial: cuando el niño nace, sólo es la madre la que puede establecer una relación social porque solamente la madre es la que puede distinguir un yo (ella misma) de un tú (el niño). En el niño no hay todavía esa diferenciación de un yo estructurado del resto del mundo en el que vive.

Esa diferenciación, es decir, la formación de un yo, se irá definiendo a lo largo de los primeros meses de vida –Spitz (1965) propone que el periodo crítico en esta cuestión se da entre los ocho y los dieciocho meses-. Un punto fundamental a considerar en este hecho es que esta diferenciación del yo del niño sucede gracias a/y por medio de la relación de éste con su madre.

Es decir, la primera vez en su vida que una persona tiene sentimientos de diferenciación con respecto al mundo, los ha obtenido merced a la relación con la madre; por lo tanto, no es muy aventurado decir que la actitud emocional, tanto consciente como inconsciente, de la madre con respecto al niño es el factor de mayor peso en la primera y más básica impresión –y recalcamos la palabra impresión en su sentido más directo– que uno tiene de sí mismo.

Este progresivo camino en la diferenciación de un yo por parte del niño a través de la relación con la madre, repetimos que tiene un carácter fundamentalmente emocional, es decir, lo que se transmite son emociones y afectos. y son transmitidos a través de la infinita riqueza del contacto físico entre una madre y su hijo: el efecto de unas palabras, el calor de unos labios, la protección que da un cuerpo, etc., pero también la irritación o la ansiedad en la voz, un golpe, la ausencia de unos brazos, es decir, todo aquello que el AT, precisamente teniendo en cuenta la importancia de primer grado que estos primeros contactos tienen en el psiquismo de la persona, engloba dentro del término Caricia y más tarde extenderá a todo aquello que suponga un reconocimiento entre personas.

La madre puede dar caricias positivas, es decir, transmitir conductas y actitudes de aceptación y apoyo al niño; puede darlas negativas, transmitiendo rechazo; o puede privar de caricias al niño, dejándolo en alguna suerte de abandono. En este último caso, que va desde la privación afectiva parcial hasta la carencia total, las consecuencias son graves para el niño pudiendo llegar hasta la muerte, aunque las condiciones materiales de subsistencia –alimento, higiene– sean suficientes (Spitz, op. cit.) y, en el mejor de los casos, el retraso en el desarrollo es considerable.

Tanto las caricias negativas como la tendencia de la madre a retraerse en dar caricias al niño deben ser entendidas en el marco de sus actitudes afectivas con respecto al niño: las dificultades en aceptarlo, la repulsa, la rabia, el miedo, son los sentimientos principales en la madre (que en muchas ocasiones son derivados de sentimientos del padre o complementarios a éstos) que se pueden traducir en pocas caricias o caricias negativas más o menos obvias (a veces una atención exagerada al niño, que lo ahoga, responde a la culpa sentida por rechazarle). Estos sentimientos, muchas veces fuera del control consciente de la madre, al ser transmitidos por medio del contacto en la relación –las caricias– o de su ausencia, van a producir dos tipos de consecuencias, que como se verá están muy relacionadas entre ellas.

La primera consecuencia consiste directamente en la aparición de determinadas alteraciones en los niños que padecen ese tipo de relación deficitaria, así como trastornos y retrasos en su desarrollo. La segunda consecuencia, que está altamente imbricada con la primera, consiste en que esa actitud afectiva que la madre transmite va a conformar un primer marco psicológico en el que se inscribirán, cuando esa actitud tiene rasgos nocivos, las futuras alteraciones psicológicas del individuo. De igual modo, cuando la madre transmite una actitud afectiva positiva, propiciará un primer paso psicológico en el que se podrá inscribir el equilibrio y bienestar emocional de la persona.

Vamos a ver el caso de Rocamadour y su madre, que ilustrará seguramente algunas de las cuestiones tratadas hasta aquí. Rocamadour tiene cuatro meses y medio cuando su

madre, una mujer joven, comienza a asistir a terapia indivi-
dual. Ella acude por un determinado problema que, tras las
primeras sesiones, queda de lado al aflorar una problemática
muy fuerte para con Rocamadour: ella se siente distanciada
emocionalmente del niño (en su historia personal hay determinados hechos que dan cuenta de este distanciamiento de
los que en esta presentación podemos prescindir). Al mismo
tiempo se extraña y culpabiliza por sentirse alejada de él,
insistentemente ha preguntado en las sesiones si es normal o
no sentir distanciamiento del niño y si es una madre normal,
"aunque no lo quiera con locura como dicen que le pasa a
todo el mundo". A veces, intuye que culpa al niño por cosas
que le pasan a ella y cuando se da cuenta se siente más culpable. Después de un tiempo de sesiones aparece el núcleo
fundamental de su relación con Rocamadour: ella puede
mantener una relación de aceptación o, al menos, de no
rechazo frente a él, siempre y cuando Rocamadour no haya
estado en brazos de otro o haya sido atendido por otra persona "muy melosa" y el niño lo haya aceptado; en este caso, se
siente totalmente distante a él y durante un período variable
de tiempo no le quiere ni tocar, ni ver. Pero si Rocamadour
llora o rechaza a alguien entonces ella le coge contenta. El
significado de lo anterior resultó claro, la madre decía a
Rocamadour: "Si yo soy lo más importante para ti (sólo estás
a gusto conmigo), entonces tú serás lo más importante para
mí (me sentiré unida a ti y te querré)". Dicho de otro modo,
la madre está pidiendo inconscientemente a Rocamadour
que le solucione el problema ("el que yo te quiera como se
supone que debe hacerlo una madre normal depende de
ti"). A estas alturas Rocamadour ya tiene seis meses, ¿pue-

de el lector hacer el esfuerzo de ponerse en su piel por un momento? Está cargando con la historia de la madre que la llevó a sentirse distante, con los sentimientos de culpa que eso le produce y con el intento inconsciente de superar ese sentimiento pidiendo algo de Rocamadour. Es decir, es algo muy real cuando decimos que un niño tiene muchas cosas, y algunas pueden ser muy pesadas, esperándole cuando nace. En ese momento de su desarrollo, y todavía durante algunos meses más, es posible que el contenido concreto de los mensajes que su madre transmite no le sea perceptible, pero con seguridad que sí lo será la carga afectiva y emocional que lleven y, fundamentalmente, a la hora de ir diferenciando su yo, la seguridad o inseguridad que le transmitan.

A esto último nos referíamos cuando hablábamos de primer marco psicológico: un marco de seguridad o de inseguridad extraído de la relación emocional con la madre. El AT maneja un concepto, importante dentro de su categoría, en el que encuadrar lo anterior: la posición existencial. Repetiremos aquí el concepto de posición existencial: son los sentimientos básicos sobre uno mismo y sobre los demás expresados en términos de estar bien o estar mal. La posición existencial está en nuestro Niño y está expresada del modo básico en que la sentimos de niños. La combinación de los sentimientos básicos sobre uno mismo y sobre el otro da lugar a las cuatro posiciones básicas.

1) Yo estoy bien, tú estás bien.– Ser capaz de percibiese tanto a sí mismo como al otro en aspectos positivos. No supone ignorar los negativos, pero la persona no necesita incidir en ellos. Es una posición de Libertad.

2) Yo estoy bien, tú estás mal.– Percibirse por encima del otro. Culpar al otro de lo que vaya mal. Necesita buscar debilidades. Posición de Superioridad.

3) Yo estoy mal, tú estás bien.– Percepción negativa de uno mismo, sentir a los otros por encima. Necesita sentir que el otro puede más. Posición de Inferioridad.

4) Yo estoy mal, tú estás mal.– No hay aspectos positivos que valgan la pena ni en uno ni en los demás. Desvalorización total. Sensación de que no hay nada que hacer. Posición de Desesperanza.

La posición existencial se instaura muy tempranamente y supone lo que aquí hemos llamado el primer marco psicológico, en el que posteriormente se inscribirá el guion de vida. Ahora bien, no puede instaurarse ni un momento antes de que estén disponibles los dos polos de la posición: un yo y un tú. Hemos visto que el yo se desarrolla a través de la primera relación con la madre y a su vez la madre es el primer tú, la primera otra persona que el niño tiene disponible. También hemos visto que esa relación viene determinada emocionalmente y que ese intercambio emocional va a determinar la primera impresión sentida que el niño tenga de él mismo (y de paso la impresión de la primera persona que no es él, del primer tú, de la madre).

Esto quiere decir que la relación con la madre posibilita la posición existencial y que los sentimientos y expectativas de la madre traducidos en su actitud emocional, consciente o inconsciente, respecto al niño va a determinar qué posición existencial concreta adoptará el niño. Para ampliar esta última idea, ,vamos a ver qué posibilidades de posición existencial al nacer (es una manera de hablar, puesto que ya hemos visto que al nacer no se puede diferenciar el yo del tú), ve la teoría clásica de AT.

La primera postura es la de Berne, que sostiene que los seres humanos nacen en la posición existencial "yo estoy bien, tú estás bien", y que son las influencias que reciben durante la infancia las que les pueden hacer cambiar a otra posición (Berne, 1972), si esto ha sucedido así el objetivo de la terapia es permitirles restablecer la posición primigenia.

Otra postura dentro del AT es la de Harris, que defiende que los seres humanos nacen en la posición existencial "yo estoy mal, tú estás bien" (Harris, 1969). Para decir esto se basa en que la madre, primera relación humana, es tan poderosa, tan omnipotente desde el punto de vista de un bebé que forzosamente tiene que sentir inferioridad –ver, naturalmente, a Adler (1912, 1920) para una más profunda argumentación de la inferioridad–. Para Harris esa primera posición puede, merced a posteriores influencias derivar a otra, pero sólo por medio de un trabajo del Adulto se puede llegar a la posición "yo estoy bien, tú estás bien".

Nosotros creemos, sin embargo, que no se puede hablar de una posición existencial primigenia y universal: cuando el niño puede distinguir un yo de un tú (separarse del resto del mundo y situarse con respecto a él) en la relación con la madre, en ese momento ya tiene una posición existencial, ya siente algo con respecto a sí y al otro, y según lo que la madre transmita con su actitud afectiva determinará qué posición existencial es (Martorell, 1986). Si su actitud es de aceptación, apoyo, afecto, permitirá al niño sentirse seguro, le fomentará la seguridad y la posición será "yo estoy bien, tú estás bien"; si la actitud que transmite la madre es la contraria el marco psicológico será la inseguridad y la posición existencial "yo estoy mal, tú estás bien". Es decir, que quizá se pueda decir que el ser humano puede instaurar una de estas dos posiciones al principio de su vida –no puede instaurar las otras dos al principio porque, efectivamente, tiene que pasar tiempo y tener más experiencias para que un niño considere que *está mal* (que tiene carencias, no que es malo) un adulto–, luego podrán variarse pero las personas partimos de una de esas dos.

Ahora bien, una vez mostrado al lector lo agudo de mi pensamiento, vuelvo humildemente a la cuestión planteada más arriba: nada menos que la naturaleza del ser humano. El pecado original, el buen salvaje, el hombre lobo para el hombre, el perverso polimorfo, la confianza radical en la persona, son, entre muchas otras, tomas de posición ante esta cuestión. Y dado que acabamos de hacer alusión al Génesis, a Rosseau, a Hobbes, a Freud y a Rogers no voy a ofender la inteligencia del lector señalándole la solución.

Sí que es necesario señalar que el AT, como cuerpo teórico, *parece* partir de una *concepción filosófica* en la que se concibe al ser humano como poseedor de una tendencia innata a la autorrealización, al desarrollo de sus potencialidades, al contacto enriquecedor con el otro, que puede ser favorecida, obstaculizada e, incluso, frustrada, desde el principio de su vida; a esto se une la creencia en la posibilidad de dirigir la propia vida. Tanto la escuela del AT como sus críticos (merece la pena verse, entre estos últimos, el brillante y tendencioso análisis de Pérez Álvarez, 1996) sostienen que es este el punto de partida, unos para defenderlo (a veces desde la posición del virtuoso) y otros para criticarlo (a veces desde la ridiculización de una caricatura). Sin embargo, el análisis de guiones enfrenta con mucha mayor frecuencia a la frustración de estos principios que a su espontánea consecución, a la dificultad de estar fuera de un guion que a la libertad de elegir, a la profundidad requerida para la terapia del guion que a su alegre abandono tras unas pocas sesiones de terapia de apoyo. Por no hablar de la vida misma: Auswitchz, Hiroshima, Kosovo, el maltrato y la intimidación permanente y universal al que está en la posición débil –la pareja, el hijo, el asalariado– y, en fin, una casi infinita serie de hechos frente a los que una postura que defienda algún tipo de principio positivo en la naturaleza humana debe ser muy sólidamente argumentada.

Para empezar, convendría diferenciar la postura de Berne de la adscripción del AT a la psicología humanista. Esta adscripción configura una de las principales líneas dentro del AT cuyo texto más representativo, mejor escrito y más fundamentado es el de Lluis Casado (1987). Sin embargo, la popularización de esta línea no siempre se mantiene dentro del rigor del libro de Casado y cae en lo que Rollo May, uno de los grandes de la psicología humanista, llamaba la ignorancia del problema del mal y le llevaba a preguntarse si la psicología humanista no representaría, mientras no asumiera este problema, sino el narcisismo de nuestra cultura, recogiendo una frase de Jankelevitch (May, 1982).

La postura de Berne *puede* ser entendida como humanista, pero hasta cierto punto: digamos que hasta el punto en que Berne se declara abiertamente freudiano y mantiene expresamente conceptualizaciones freudianas en algunas de sus propuestas (la compulsión de repetición en los juegos y el núcleo inconsciente del guion, por ejemplo) y, también, hasta el punto en que encaje o no con la psicología humanista su descripción psicológica del mal como algo no ajeno a la naturaleza humana bajo el nombre de "el pequeño fascista" (Berne, 1974, pp. 296-299). Por cierto, que ambas cuestiones, el marco de referencia freudiano y el concepto de "pequeño fascista", molestaban tanto a Claude Steiner –sin duda el más sólido e influyente teórico transaccionalista después de Berne– que resolvió la disonancia por el método de atribuir-las a la patología de Berne (véase Steiner, 1980, pp. 83-84, y Steiner y Kerr (eds.), 1976, p. 22) en una curiosa pero ilustrativa manera de redimir a alguien de sí mismo.

Berne sostiene estos conceptos simultáneamente con el postulado de que los seres humanos nacemos príncipes y princesas hasta que nuestros padres nos convierten en ranas (si ellos previamente han sido convertidos en ranas). Si el lector es capaz de dejar a un lado el lenguaje deliberada-mente provocativo de Berne (*príncipes* y *ranas* frente a, por ejemplo, *posición ontológica básica* o *historial de refuerzos*) se encontrará con que lo que se postula es que "nacer" en un entorno positivo tiende a producir resultados positivos, que la instauración de la posición "yo estoy bien, tú estás bien" es posible y tiende a ser la que se establece si la madre (que a su vez está en un entorno del que *también forma parte un bebé determinado*) está bien, que el fracaso en establecer esta posición es precisamente eso: *un fracaso*, algo que podría haber sido de otro modo (precisamente por esta condición de fracaso no se pueden defender estos postulados ingenuamente, ignorando la complejidad de los sistemas familiares, sociales, culturales y políticos), y, en definitiva, se propone que si a un ser humano se le da la oportunidad (léase afecto, protección, caricias), es probable que "nazca" estando bien y considerando que los otros están bien. Lamentablemente, no siempre se le brinda esa mínima oportunidad.

Para resumir este capítulo digamos que hay un buen número de sentimientos, expectativas, ideas preconcebidas, y, en definitiva, materiales para un guion que están esperando al niño cuando nace, de tal modo que parece que en la primera escena del primer acto ya hay diálogo, consignas e indicaciones a las que atender. Y el primer modo en que a un niño se le transmite esto es por medio de la relación con la madre; la actitud emocional de ésta, consciente o inconsciente, va a determinar que se sienta a sí mismo y a los otros de una determinada manera y que su primer marco psicológico sea de seguridad o de inseguridad.

8

PRIMER BOSQUEJO

Como acabamos de ver, las personas incorporamos desde muy temprano un marco psicológico, inclinado hacia la seguridad o la inseguridad, que establece las primeras percepciones de uno mismo y de los demás. A partir de él, el niño irá percibiendo y encajando sus experiencias a medida que su desarrollo le permite acceder a áreas cada vez más amplias de la realidad que le circunda.

Siguiendo el clásico ejemplo de la torre de monedas, el marco psicológico sería la primera moneda sobre la que se apilarían las demás; si esta primera moneda es ya defectuosa (un marco psicológico inclinado hacia la inseguridad) será difícil construir una torre sólida y equilibrada aunque las siguientes monedas estén en buen estado. Sin embargo, el hecho de que esa primera moneda no sea defectuosa y esté sólidamente implantada —es decir, que el niño haya adquirido un marco psicológico de seguridad— no garantiza el equilibrio de la torre si alguna de las siguientes monedas es defectuosa. Obviamente, el criterio es que cuanto más abajo –cuanto más pequeño es el niño– esté la moneda defectuosa más precaria será la estabilidad de la torre.

Vamos a ocuparnos ahora de lo que sucede cuando el niño amplía su radio de acción y pasa de relacionarse solamente con su madre (o sus cuidadores originales) a hacerlo con el sistema familiar total de una manera más directa y multidireccional.

Para presentar esto del modo más directo posible, vamos a considerar la infancia como un todo; es evidente que determinadas experiencias o influencias no supondrán lo mismo en una edad que en otra, como ya hemos indicado con el símil de la torre de monedas, pero creemos que la mejor manera de entender el concepto de guion de vida es seguir el camino que proponemos. De todos modos, el lector interesado en seguir la formación del guion a través de las distintas etapas de la infancia puede encontrar información en Berne (1972).

Cuando el niño entra en contacto de ese modo más directo al que aludíamos con el sistema familiar, sabemos ya que no llega en blanco –posee un marco psicológico obtenido en la primera relación con la madre–, pero también sabemos que no es muy probable que la familia le tenga preparado un ilimitado abanico de posibilidades para desarrollarse: ya hemos hablado de las expectativas, sentimientos e ideas que esperan al niño desde antes de nacer, ahora se van a concretar y convertir en los límites que la familia va a poner, más allá de los cuales no se querrá, consciente o inconscientemente, permitir al niño llegar. Veamos cómo es esto posible y de qué modo sucede, pues esto es la clave del guion de vida.

a) El niño en la encrucijada

El punto principal a tener en cuenta es la posición en la que los niños se encuentran con respecto a sus padres o las personas que ocupen su lugar (estas personas pueden estar, *además* de los padres; *usurpando* su lugar; o *sustituyéndolos* por ausencia; aunque en la práctica clínica es necesario desglosar cuidadosamente estos papeles, aquí nos referiremos a los padres como caso más habitual, localizando en ellos el resto de influencias). Los aspectos fundamentales de la situación en que se encuentran los niños con respecto a sus padres quedan resumidos en los siguientes puntos:

1) Absoluta necesidad para sobrevivir de los cuidados físicos y emocionales (recuérdese aquí el concepto y la necesidad de las caricias para la supervivencia) que los padres imparten.

2) Espontaneidad en la expresión de las tendencias o impulsos naturales a medida que el desarrollo los va poniendo disponibles. En términos de AT, la expresión del Niño Natural.

3) Expectativas, ideas, prejuicios, sentimientos, miedos y, en definitiva, actitudes de los padres con respecto a esa expresión natural y espontánea de su hijo. Dicho de otro modo, cómo encaja el niño, qué se le pide, qué puede y qué no puede hacer desde el punto de vista de los guiones de vida de sus padres.

Si usted toma estos tres puntos, los introduce en una coctelera y los agita con garbo, cuando vierta el contenido es muy probable que tenga delante a un niño en una encrucijada.

El esquema interno de esta encrucijada es el siguiente: el niño expresa o quiere expresar algo espontáneamente, esta expresión choca con la actitud de uno o ambos padres que se oponen de un modo abierto (un grito, un golpe, una prohibición, un ceño fruncido) o sutil (ignorarle, cambiar el tono afectivo de la comunicación); en ese punto el niño está en la encrucijada, ante un auténtico conflicto existencial que se puede expresar de este modo: o sigue sus propias tendencias, pero pierde la aceptación de los padres, de quienes depende para sobrevivir, o asegura la aceptación de los padres, pero reprime la expresión de sus propias tendencias.

Es cierto que mucho de lo que englobamos en las palabras educación y socialización podría ser explicado a partir de los tres puntos señalados más arriba: cuando un niño expresa su tendencia natural a hacer una espontánea y amarillenta caca sobre la mejor alfombra de la casa, cuando ensaya su desarrollo motriz haciendo juegos malabares con el cuchillo del pan, o cuando en plena etapa exploratoria intenta comprobar si los deditos del hermano caben en los agujeros del enchufe, y capta la oposición de sus padres a dichas conductas, la situación del niño es de conflicto, pero entendemos que la resolución de esos conflictos no necesariamente tiene que llevar a la instauración de un guion de vida nocivo o limitador. Pero cuando ese conflicto entre las tendencias del niño y la actitud de los padres –insistimos, dentro del marco de dependencia del niño frente a los padres– se da en áreas que implican no sólo los aprendizajes sociales básicos sino además la elección de determinados estilos de vida o modos de ser, ese conflicto puede constituir, aunque más tarde quede hurtado a la consciencia, el evento más importante y dramático en la vida de la persona.

Para adentrarnos en lo anterior, el modo más útil es entender las actitudes, conductas y todo aquello que los padres transmiten a los hijos como mensajes.

b) Los mensajes de los padres

No hay nada de lo que un padre pueda hacer o expresar con respecto a un hijo que no esté dotado de significado. Cualquier aspecto de la comunicación entre ambos funciona como un mensaje para el niño; fundamentalmente son mensajes que son captados como prohibiciones o como permisos, luces rojas o verdes en el semáforo de la conducta y la expresión, o señales de dirección obligatoria en alguna encrucijada. Los padres emiten estos mensajes desde la totalidad de su persona; tanto el estado del yo Padre, como el Adulto y como el Niño de los padres están implicados en esta comunicación, pero lo que dota de toda su riqueza y complejidad al análisis de las influencias parentales en el guion de vida del hijo es el hecho de que personas diferentes utilizarán, por un lado, en diferente medida y con diferente peso específico sus distintos estados, y por otro transmitirán al hijo contenidos diferentes de acuerdo a su propio desarrollo, experiencias y guion personal.

Siendo conscientes de que hacemos una simplificación, podemos distinguir dos modelos básicos de padre o de madre, de acuerdo a su estructura y funcionamiento psicológicos cuando se relaciona con su hijo:

1) El primer tipo de padre tiene como principal característica un Niño que acepta al hijo, el cual no remueve sus temores, un Niño que encuentra placer en la relación con el hijo, y que se permite expresarle amor. El Adulto está disponible para hacerse cargo de la situación y el Padre protector actúa con las funciones de un buen cuidador. Este tipo de padre suaviza el conflicto existencial del niño que hemos visto en el apartado anterior de este capítulo porque explícita o intuitivamente se

hace cargo de él, no fuerza al niño a situaciones angustiosas donde tenga que tomar elecciones muy tempranas sobre lo que hacer, y por lo tanto no facilita el desarrollo de un guion de vida montado sobre la angustia desde sus primeras escenas.

2) El segundo tipo de padre está caracterizado fundamentalmente por un Niño que tiene problemas en la aceptación plena del hijo; esto sucede cuando el hijo que llega le remueve o provoca algún miedo profundo. Veamos algunos casos: le va a obligar a cuidarle y teme su incapacidad, le va a hacer abandonar su tipo de vida, le va a arrebatar el cariño de la pareja, le va a obligar a enfrentarse a sus propios sentimientos y teme que le desborden. Por ejemplo, el Niño del progenitor siente miedo por el nacimiento de un hijo en un momento económicamente difícil para la familia, si no puede elaborar y manejar ese miedo conscientemente, es probable que su Niño, para librarse del sentimiento de miedo, lo transforme en rabia contra el hijo: "Por tu culpa vivimos con más estrecheces"; cuanto más inconscientemente suceda este proceso, las conductas que lo reflejen serán menos obvias, por ejemplo, comunicarse con el hijo a lo largo de su nacimiento desde una posición de virtuosismo sacrificado, aparentemente nada agresiva, "todo lo que hago y todo de lo que me privo es por ti" pero transmitiéndole que debe sentirse culpable.

El resultado de todo esto es un Niño confuso que ofusca al Adulto; las conductas del Padre protector aparecen estereotipadas y desprovistas de auténtica calidez. El modo más directo de describir esta situación es diciendo que la relación con el hijo y su educación queda a cargo de un Niño con problemas, a veces muy graves. El efecto de todo ello es que el hijo va a

estar desde muy pronto obligado a dar respuesta a los mensajes que vienen del Niño de sus padres (el caso de Rocamadour
y su madre del capítulo anterior ejemplifica esta situación) y
estas respuestas, de las que nos ocuparemos en seguida, van a
tener una incidencia decisiva en el guion de vida del hijo.

Nos permitiremos un símil más o menos poético para resumir los dos tipos de padre a los que hemos aludido. Si el
corazón del padre siente afecto y alegría por el hijo, su cerebro
estará despejado y conducirá sus brazos para que atiendan y
acaricien al niño, pero si su corazón tiene miedo o impulsos que
no comprende, entonces su corazón confundirá a su cerebro y
sus brazos puede que se inhiban de coger al hijo, o lo hagan me-
cánicamente, o tal vez aprieten demasiado o demasiado poco.

En lo referente a los mensajes que mandan al hijo, la diferencia básica puede ser expresada así: el primer tipo de padre
proporciona cualitativamente un entorno de permisos: permiso
para vivir, expresarse, lograr, equivocarse, etc., mientras que el
segundo tipo de padre emite un tipo de mensajes que construyen un mundo de prohibiciones que pueden abarcar, al igual
que los permisos, desde aspectos generales y básicos de la vida
("está mal que vivas", "está mal que seas un chico"), hasta cuestiones más concretas y particulares ("no expreses pena").

Veamos de una manera más concreta algunos de los más
importantes mensajes, por su trascendencia, en la formación
de los guiones de vida. Nos vamos a ocupar ahora de aquellos
que pueden dar lugar a guiones de vida de fracaso, sufrimiento o final trágico, pero el mecanismo por el que un niño transforma una actitud parental en un mensaje es el mismo para
cualquier tipo de mensaje.

En la práctica clínica se ha observado que los guiones de vida más nefastos para la persona que los sigue tienen en su base un mensaje que puede ser expresado como "no existas" o "no vivas". Es obvio para cualquiera que enfrentar a un niño a un mensaje como éste no puede dar lugar a nada bueno; sin embargo, a mucha gente le parece imposible que este mensaje tan destructivo y radical pueda ser comunicado por un padre a su hijo. Efectivamente, en la mayoría de los casos este mensaje no es transmitido de un modo tan directo y literal, aunque cualquier clínico conoce casos en que ha sido transmitido así, con frases como "ojalá no hubieras nacido" o similares, dichas en un contexto violento; pero aunque el modo de transmitirlo sea indirecto y se infiera de la actitud del padre, no deja de ser igualmente nocivo y brutal: el abandono del niño por uno de los progenitores puede ser captado como un "no vivas", el desatenderlo en situaciones importantes en las que precisaba ayuda, el golpear al niño violentamente o con saña, amenazar el padre con matarse por los problemas que le causa el niño, son todo ello actitudes, conductas y expresiones de sentimientos por parte de los padres o cuidadores originales que conforman el mensaje "no vivas"; si el niño *decidió* aceptar el mensaje (hablaremos más adelante de estas decisiones), el guion de vida que se construirá sobre este mensaje tenderá de una manera clara o solapada hacia un final trágico que girará en torno a conductas autodestructivas.

Muchos suicidas recibieron este mensaje, y no sólo los suicidas de la llave del gas abierta o la defenestración, sino también personas que ponen en riesgo sus vidas a base de dedicarse a actividades peligrosas, excesos en la comida, en la bebida, o en el trabajo (cuando todas estas actividades no sólo no son evitadas sino cuidadosamente buscadas), recibieron en su infancia ese mensaje. Es decir, que no siempre la respuesta al mensaje, una vez aceptado, es directa y obvia, aunque siempre tiene su respuesta.

Por ejemplo: Violeta es una chica de veinticinco años que participa en un grupo de terapia; su problema estriba en una gran dificultad para sentirse integrada con los demás –enseguida se siente rechazada y "fuera" del grupo–, una expresión suya es "parece que no me dejo disfrutar de la vida"; en una sesión comenta, aparentemente sin atribuirle ninguna importancia que su modo de desplazarse cotidiano es en moto, conduce frecuentemente con tacones altos, no lleva casco y "siempre llevo los frenos o el embrague a medio arreglar", sonríe y dice: "cualquier día me doy un trastazo". Hagamos notar que es Violeta la que pone juntos todos esos datos y apreciaciones sobre su manera de llevar la moto y es ella la que elige contarlo en el grupo. Otro dato: su problema la ha llevado a un buen número de inhibiciones y miedos en muchas áreas de su vida, pero no en lo que respecta a la moto. Sin entrar en mayores interpretaciones, el terapeuta encargado del grupo hará un acto de prudencia sospechando que Violeta recibió el mensaje de "no vivas" y que en su guion encaja perfectamente un cierto modo de llevar una moto –junto al resto datos que sabemos de ella– que "cualquier día" da cumplimiento al mensaje.

¿Quiere esto decir que todos los que, por ejemplo, conduzcan rápida y descuidadamente una moto recibieron y aceptaron el mensaje de "no vivas"? No necesariamente, pues puede haber muchos otros factores intervinientes, pero sí se puede decir que todas aquellas personas que están bajo el influjo de un mensaje así realizarán clara u ocultamente conductas autodestructivas o peligrosas, y una de ellas puede ser llevar una moto como lo hace Violeta. Una variante del mensaje "no vivas" es "no estés bien" o "no estés cuerdo", lo que significa "puedes existir con tal de que estés enfermo o con tal de que estés loco". Hay personas que decidieron estar mal (tener un guion donde su actuación gira en torno a una u otra modalidad de estar mal), porque percibieron que esa era su única posibilidad de sobrevivir. Vamos a aportar otro ejemplo extraído de la práctica clínica para entender cómo pueden los padres mandar mensajes de éste tipo y por qué un niño puede decidirse a aceptarlos. Oigamos la historia del señor Morado.

Morado es un hombre de unos cuarenta años, un ejecutivo, con una vida personal complicada tras un divorcio, que padece frecuentes depresiones; lleva cerca de veinte años, con períodos de descanso entre medias más o menos largos, de tratamientos de una u otra naturaleza. Algo que sucede frecuentemente en las sesiones es que Morado cuenta una serie de agravios que le hacen sufrir las personas de su entorno, lo hace depresivamente y con unos argumentos tales que, en otro contexto que no fuera la terapia, la reacción inmediata del interlocutor sería la de consolarle (ésta es la reacción que en ocasiones obtiene de su entorno, cuando hay un interlocutor, pero la progresiva falta de éstos hace que la espiral de la depresión cada vez sea más profunda). Al cabo de un buen número de sesiones que estaban centradas en torno a esta actitud básica, Morado cuenta un recuerdo infantil, no relacionado por él hasta entonces con su actual situación, en el que él está con cinco años sentado en una silla con la postura y el gesto de tristeza "para dar pena a la criada porque estaba solo, mis padres se habían ido". Esta actitud primitiva fue generalizándose hasta ser su principal fuente de obtención de caricias del entorno. Es decir, él buscaba la atención y el afecto necesario para sobrevivir mostrándose deprimido, pero, y éste es el descubrimiento decisivo dentro del conflicto existencial de un niño, los demás le daban esa atención y ese afecto *a partir* de que se muestra deprimido, y esto es ni más ni menos el mensaje "puedes existir con tal de que seas un depresivo", mensaje al que Morado niño respondió aceptándolo. Al cabo de muchos años estaba en la sesión con la misma actitud, cada vez más intensificada porque cada vez obtenía menos con ella.

El caso del señor Morado ejemplifica cómo las actitudes, reacciones, conductas, etc., de los padres son entendidas como mensajes por el niño y cómo pueden llegar a influir en su futuro poderosamente. La cantidad de mensajes que un niño puede recibir es evidentemente grande y abarca todas las áreas de su desarrollo y de su vida, si bien muchos de ellos pueden ser sintetizados en otros que abarcan áreas de actuación o de actitudes ante la vida más generales.

Hasta aquí hemos visto los mensajes más claramente nocivos: "no vivas", "no estés bien" y "no estés cuerdo". Los siguientes mensajes más perjudiciales que se encuentran en la base de guiones de infelicidad o de fracaso son:

"No seas un niño", transmitido por medio de conductas que responsabilizan al niño por encima de sus posibilidades. Se ve en guiones de "cuidadores" con un fondo de insatisfacción por la impresión de que la vida les impide cuidar de sí mismos.

"No crezcas", relacionado con el anterior; lo lanzan padres cuyo Niño necesita para sentirse bien que el hijo siempre sea pequeño. Su autonomía les amenaza.

"No pertenezcas", es decir, "siéntete extraño en cualquier grupo", a veces refleja el miedo de los padres a ser abandonados. Sobre él se puede construir un guion de aislamiento y soledad.

"No pienses", desvalorizando la inteligencia, directa o indirectamente; por ejemplo, cuando la hija ha hecho algo que demuestre que ha pensado bien el padre dice: "bueno, bueno, está bien, pero dile a tu madre que te peine mejor para que parezcas una señorita de verdad". La persona obtiene sus caricias siendo confuso, estúpido o no resolviendo problemas.

"No estés cerca", desconfianza sobre los sentimientos, básicamente sobre el amor. Obviamente lo transmiten padres o cuidadores con problemas en la aceptación y expresión de sus propios sentimientos para con otros.

"No seas importante", es decir, "no tengas éxito"; en casos particulares que dan lugar a guiones en los que la persona llega cerca del éxito pero siempre se queda en las puertas, el mensaje que se encuentra generalmente es "no me superes" transmitido por el progenitor del mismo sexo, casi siempre, cuyo Niño, compite con su hijo y se siente amenazado por él.

Se podría aumentar esta lista, evidentemente, pero con ella quedan tocadas áreas muy importantes de la vida de las personas y creemos que queda suficientemente explicada la naturaleza y el mecanismo de transmisión e incorporación de los mensajes. Pero insistimos en algo, que si bien ya surge de las páginas anteriores, al ser la clave del tema de los mensajes no estará de más repetirlo: por muy duro, brutal, limitador o nocivo que sea el contenido del mensaje que capta el niño de sus cuidadores, si es la única manera que tiene a su alcance de obtener las caricias –sean positivas o negativas– que aseguren su supervivencia, el niño aceptará el mensaje.

c) La decisión

A lo largo del apartado anterior, cada vez que hablábamos de los mensajes hemos querido ir introduciendo la idea de que el niño tiene un poder de aceptación o no sobre los mensajes, es decir, que, a partir de los mensajes que recibe, el niño puede decidir algo sobre sí mismo, los demás y sobre lo que hará o no hará. Sin embargo, justamente en el párrafo anterior acabamos de decir que en las circunstancias de conflicto existencial ya descritas, el niño decidirá inevitablemente aceptar el mensaje, y una expresión como "decisión inevitable" parece una contradicción en sus términos. Nos explicaremos, pues aquí está uno de los puntos fundamentales para la comprensión del guion de vida.

Los mensajes que recibe el niño son la expresión concreta de lo que el propio niño capta que el entorno pide de él. El entorno del niño, repetimos, es básica y primordialmente la constelación familiar, que más tarde, con la escolarización, se irá ampliando. Este entorno, pues, pide algo de él, y éste algo viene expresado en términos de mensajes: lo que puede hacer y lo que puede no hacer (permisos), lo que tiene que hacer y lo que tiene que no hacer (requerimientos y prohibiciones); además, el mensaje lleva también algo fundamental: la amenaza de lo que pasará si no se acepta el mensaje (por supuesto, la amenaza es particularmente fuerte en los requerimientos y las prohibiciones); esta amenaza, que puede ser directamente un castigo, siempre es, además, de un modo u otro, y con un grado de intensidad u otro, la pérdida emocional de uno o ambos progenitores, o sus sustitutos.

Ahora bien, el niño no es pasivo ante esta situación; en primer lugar, es más sensible a unos mensajes que a otros; por ejemplo, el hermano de un chico que recibe gran cantidad de caricias por su sociabilidad, es probable que desarrolle una sensibilidad especial a los mensajes que tengan que ver con este rasgo, en detrimento quizá de otros, y muy probablemente se sienta impelido a tomar una decisión sobre este tema; siguiendo el ejemplo, parecería que en esa familia el mensaje es "sé sociable" o "está bien ser sociable" y sea éste el que los padres traten de transmitir a todos sus hijos, pero por entre el siempre complejo entramado de las relaciones familiares puede deslizarse el mensaje o lo que el hermano puede estar viviendo como mensaje "nunca serás tan bueno como tu hermano", y si la decisión es aceptar el mensaje y, por ejemplo, ser huraño, esto dará lugar sin duda, en esa familia y para ese hermano, a una buena cantidad de caricias –negativas, pero caricias–, que afianzarán la decisión puesto que ésta ha sido efectiva (además de proporcionar otros importantes beneficios que más adelante iremos viendo).

Resumiendo, la primera forma de no ser pasivo frente a los mensajes es que la propia situación emocional determina qué mensajes serán captados y qué mensajes "resbalarán" sin penetrar y con qué intensidad se vivirán aquellos que se capten.

La segunda manera de incidencia del niño ante los mensajes es decidir sobre ellos (lo que supone, como ya hemos apuntado, decidir sobre sí mismo, sobre los demás, y sobre lo que hacer), aceptarlos o no. Esta es una cuestión fundamental en la teoría del guion, porque el postulado básico es que *el guion está sustentado sobre decisiones que la persona tomó en su infancia*, es decir, el peso está mucho más en la decisión que en el mensaje. Cuando hemos podido analizar el cambio en la vida de una persona, lo que ha sucedido es que *redecidió*, cambió su decisión frente al mismo mensaje, luego lo fundamental en el guion de su vida fue una decisión.

Resultará fácil comprender que sea más difícil soslayar la decisión frente a un mensaje cuyo contenido es una prohibición o un requerimiento que frente a uno cuyo contenido es un permiso. Así como el niño necesitará decidir más rápida y perentoriamente cuanto más intenso sea el conflicto existencial que viva entre los mensajes parentales y sus tendencias naturales.

Bajo estas condiciones de conflicto existencial intenso es cuando nos acercamos a lo que antes hemos llamado decisión inevitable. La situación del niño puede ser similar a la del explorador europeo que llega con hambre a una aldea indígena en lo más profundo de África; el jefe de la tribu, tipo hospitalario, le ofrece el único plato existente en la tribu: hormigas fresquitas salteadas con jugosos saltamontes; en un primer momento es muy posible que el explorador rechace tan exquisito plato, pero cuando se vaya convenciendo de que no hay otro, el hambre empiece a producirle calambres en el estómago, y se percate, además, de que el jefe de la tribu le mira con gesto hosco cada vez que rechaza el plato, es más que probable que acabe comiendo la ensalada campera.

Del mismo modo, el niño aceptará de modo altamente probable el mensaje que sea, por más nocivo que pueda resultarle, si va asociado a su supervivencia. Y esto ocurre, en términos generales, cuanto más tempranamente se someta al niño a fuertes presiones y coacciones contrarias a sus tendencias y a un modo sano de obtener el apoyo y reconocimiento emocional indispensable. Cuando esto es así nos encontramos con el siguiente hecho, de singular trascendencia para las personas y definitivo para entender el entramado interno de los guiones: decisiones sobre las que se desarrolla el guion, que suponen decirse algo sobre lo que uno es, sobre lo que son los demás y sobre lo que hacer o no hacer, y que persisten a lo largo de muchos años (para muchas personas, toda la vida), son tomadas por un niño que puede tener menos de cinco años –con la información, desarrollo y visión del mundo de un niño de esa edad–, y que en la mayoría de los casos es menor de diez años. Si esto parece excesivo reléase el caso del Sr. Morado, sus decisiones fueron: existencialmente, "yo estoy mal, tú estás bien" (yo me quedo solo, tú me puedes abandonar o consolar, tienes poder), "seré un depresivo y obtendré caricias de pena y consuelo de la gente", lo cual ya da muchas pistas sobre lo que hacer en la vida pues precisa continuamente perder objetos de amor para poder deprimirse y obtener consuelo; a partir de estas decisiones un guion de fracaso, soledad y enfermedad está a punto.

En definitiva, los niños toman decisiones perjudiciales para su vida cuando no les queda otro remedio y sienten su supervivencia amenazada, esas decisiones son tomadas por un niño con un desarrollo, información y visión del mundo necesariamente limitados por lo que no es de extrañar que, *en términos de un adulto,* sean excesivamente radicales. Cuando la persona, posteriormente, estaría en mejores condiciones de decidir, la decisión anterior persiste *inconscientemente,* y el mundo se sigue percibiendo psicológicamente igual que cuando se tomó la decisión.

Se puede comprobar que cuanto más tardíamente la persona ha tenido que tomar decisiones importantes sobre sí mismo y sobre los demás (lo que supone que ha recibido básicamente permisos más que prohibiciones sobre los temas existenciales importantes para una persona), estas decisiones han resultado menos coercitivas y más enriquecedoras para la vida del sujeto y, entre otras cosas, le permiten captar la realidad de un modo más claro y ajustado a lo que realmente está pasando.

Se habrá observado que hemos subrayado la condición inconsciente de la decisión. Lo hemos hecho porque nos parece un punto esencial para la comprensión del guion y para tratarlo cuando conforma una vida de infelicidad y fracaso.

Sin embargo, debemos decir que no todo el mundo que se ocupa de este tema opina igual, y la discrepancia no es siempre derivada de la interpretación de los datos disponibles, sino que se mezcla con opciones de tipo ideológico: postular que la minimización de lo inconsciente supone una mayor dignificación de la persona, porque permite que ésta se haga cargo de sus problemas.

Por supuesto que no todos los que discrepan del carácter inconsciente de la base del guion lo hacen desde un planteamiento ideológico, sino que hay algunas sólidas y muy cualificadas voces. Para empezar, hay que decir que el propio Eric Berne mandó mensajes contradictorios (de ahí el conflicto de algunos de sus "hijos"). Berne comenzó considerando abiertamente el guion de vida como inconsciente: "El guion, o plan de vida inconsciente del individuo... basada (la vida) en las decisiones que tomó durante su infancia... Estas decisiones se toman inconscientemente..." (Berne, 1966, p. 258). Posteriormente, parece cambiar de opinión: "Cada persona tiene un plan de vida preconsciente, o guion" (Berne, 1973, p. 41), y más adelante: "generalmente el plan de vida no es inconsciente" (p. 74); sin embargo, en el mismo texto termina por decir: "no hay nada que prohíba al analista de guiones tratar con material inconsciente (...) si está preparado para hacerlo. Y lo hará porque, naturalmente, son precisamente estas experiencias las que forman el protocolo básico del guion" (pp. 440-441).

Steiner, la voz autorizada más clara en cuanto al carácter consciente de los guiones, parece inclinarse, con dolor, por la opinión de que Berne defendió el carácter inconsciente del guion : "Aquellos de entre nosotros que escuchamos sus exposiciones sobre su trabajo de análisis de guiones nos sentíamos desconcertados. Parecía ser un proceso complicado, de mucha profundidad... Sus discusiones sobre los guiones permanecían envueltas en terminología y técnica psicoanalíticas, a diferencia de todo el resto del trabajo. Los guiones eran fenómenos inconscientes, de compulsión reiterativa..." (Steiner, 1974, p. 43). Ya hemos dicho cuál es la posición de Steiner: "La teoría del guion se basa en la creencia de que las personas trazan planes *conscientes* de vida en su niñez o primera adolescencia, los cuales influyen en el resto de sus vidas y posibilitan un pronóstico de las mismas" (Steiner, 1974, p. 49, el subrayado es nuestro).

Evidentemente, es más claro y tajante que Berne, pero siguiendo las explicaciones, descripciones y ejemplos de su magnífico libro sobre los guiones resulta difícil (a quien esto escribe, no a Steiner, evidentemente) sustraerse a la impresión de que en muchos momentos está hablando de fenómenos inconscientes. Quizá, para aclarar este tema, sea útil atender a dos tipos de datos que suministra la observación clínica.

El primer tipo de datos proviene de lo que las personas dicen de sus propios guiones: muchas personas hablan de un modo bastante claro que se ven abocadas a cumplir determinados destinos, no siempre gratos, o de que intuyen un final concreto, o de que se les repite el mismo tipo de suceso en su vida, es decir, hablan de que se ven en un guion y de que saben en qué consiste una buena parte de él aunque no utilicen ese término. Otras, cuando están en terapia, lo hacen después de la primeras sesiones. La mayoría de éstas pronto se permiten recordar y ligar determinados hechos que iluminan aspectos importantes de su guion. Esto es cierto y constatable y de datos de este tipo surge la propuesta de que el guion es consciente, o al menos preconsciente.

Y, efectivamente, podemos decir que lo es si entendemos por guion exclusivamente los sucesos que conforman un plan de vida en marcha. Sin embargo, cualquier persona que haya enfrentado un guion de vida (el suyo o, como terapeuta, también el de otros) habrá observado que hay algo que va más allá de la conciencia de estar cumpliendo un guion y que es precisamente lo que lo mantiene, aunque consista en rodar por una cuesta llena de espinos y nos estemos dando cuenta de ello: la sensación de que uno no puede hacer otra cosa, o, mejor dicho, la sensación de que una amenaza acecha si hacemos otra cosa (esta sensación sucede cuando la persona ha abandonado prácticamente todas las racionalizaciones que le justifican seguir en su guion de vida, por lo que se puede suponer que llegar hasta aquí es ya un avance).

Esa amenaza, que es un miedo del Niño a ser abandonado, a no sobrevivir, a no ser querido, y de la que le libra la decisión que aceptaba un mensaje destructivo mientras la siga manteniendo, es lo que permanece oscuro para las personas, construyen sobre ella capas y capas de explicaciones y racionalizaciones, ignoran sucesos, olvidan circunstancias, desvalorizan hechos que para un observador serían obvios, y más aún, cuando recuerdan determinadas cosas no recuerdan los sentimientos que las acompañaron. Todo esto son las circunstancias existenciales que acompañaron y provocaron la decisión sobre la que se formó el guion, además de las decisiones mismas. A esta cualidad de oscuridad, de olvido y de falta de relación para la propia persona es a lo que hemos llamado inconsciente. La mejor ejemplificación de lo que queremos decir la hemos encontrado en una persona que mostró cierto interés por el tema de lo inconsciente, un tal Sigmund Freud: "El olvido de impresiones, escenas y sucesos se reduce casi siempre a una 'retención' de los mismos. Cuando el paciente habla de este material 'olvidado' rara vez deja de añadir: 'En realidad, siempre he sabido perfectamente todas estas cosas; lo que pasa es que nunca me he detenido a pensar en ellas'..." y más adelante, refiriéndose a ciertos casos: "... el olvido se limita a destruir conexiones, suprimir relaciones causales y aislar recuerdos enlazados entre sí" (Freud, 1914, p. 346).

Es decir, hay un buen número de recuerdos, sensaciones, sentimientos, etc., que son conscientes o preconscientes y que dan información sobre nuestro guion de vida, pero también hay zonas oscuras, olvidadas, negadas, reprimidas que son de vital importancia porque en ellas está habitualmente anclada la fuerza que mantiene el guion, su "maldición": un tipo u otro de amenaza. Creemos que admitir esto y trabajar con las personas para ir más allá de estas barreras, comunicándoselas y teniéndolas muy en cuenta no es desvalorizar la racionalidad ni el poder del sentido común, ni mucho menos despojar de su dignidad de seres racionales a las personas.

Nos parece que lo indigno es alienar a alguien de una parte de su realidad psíquica en virtud de una mistificación ideológica (y ponemos especial cuidado en hacer hincapié en que esta crítica se refiere a las posiciones ideológicas que quieren pasar por humanistas, y no a las teorías o sistemas que se puedan oponer a lo que nosotros nos parece cierto y que derivan de otros planteamientos, otros datos u otras interpretaciones).

Antes de abandonar este tema, hagamos una observación sobre un hecho que ayuda a que la parte más básica y primitiva de los guiones –las decisiones– permanezcan oscuras para muchas personas; hemos visto que las decisiones que dan lugar a guiones más duros son tomadas de un modo casi inevitable a partir de mensajes destructivos, amenazadores y coartadores que envían los padres o las figuras parentales. Estos mensajes tienen su origen en el Niño de los padres; cuando manda mensajes de este tipo es un Niño confuso, miedoso, competitivo y tramposo que se expresa mucho más en la actitud general de los padres que en lo que expresamente dicen.

Digamos que a este Niño confuso de los padres se le entiende muy bien, pero se le puede oír muy mal, por lo que no es raro encontrar personas que no recuerden haber oído nada que tenga que ver con su actual situación aunque su conducta y su vida prueban que lo entendieron muy bien.

Resumiendo, creemos que las personas tienen un guion de vida sobre el que pueden tener conocimiento consciente o preconsciente pero que está basado decisiones cuya naturaleza última es, para la propia persona, inconsciente. Una parte importante del trabajo terapéutico es iluminar, entender y revivir esa parte oscura, para así poder decidir adultamente sobre la propia vida.

En el presente capítulo hemos comentado principalmente tres factores importantísimos en la elaboración del guion: el conflicto existencial, los mensajes de los padres o sustitutos y las decisiones que sobre ellos toma el niño. Se ha visto que los tres están muy relacionados, y que proporcionan el bosquejo fundamental del guion. Sigamos adelante.

9

LA APARICIÓN DEL HÉROE

En este capítulo les quiero presentar a alguna gente que en los últimos años ha decidido acudir a la consulta en busca de ayuda para cambiar sus vidas, vidas que de un modo u otro les eran insatisfactorias. Quizá conozcan a alguno; si es así, les pido discreción.

Supermán vino a tratar sus cíclicas depresiones. Robin Hood vino después de tres intentos de suicidio. Escarlata O'Hara cada vez estaba más aislada, le costaba comunicarse y relacionarse con los demás e iba dejando pasar el tiempo sin responsabilizarse de nada. El Capitán Trueno no podía soportar más tiempo arreglarlo todo y no equivocarse por temor a que se rieran de él. Peter Pan estaba enganchado a la heroína. Tarzán se sentía incapaz de comprometerse con nada ni con nadie y le daba miedo quedarse solo. Pulgarcito tenía asma y ya que nadie se la curaba pensó que quizá un psicólogo podía hacer algo. En cambio, el Patito Feo se extrañaba de que su madre le llevara al "comecocos" si al final todo iba a ir bien.

No como a Heidi, que pensaba que si la terapia no podía con su desvalimiento y con la pérdida del sentido de su vida, se mataría. Y más gente que irá apareciendo. Para empezar comencemos hablando de todos ellos en general.

Son los personajes que pueblan los cuentos y las historias que escuchan los niños y los adolescentes (y los adultos). Estas historias pueden haber nacido muchos siglos atrás y estar presentes ahora en diferentes países o culturas, como las fábulas clásicas. Pueden venir de un país ajeno pero cuya cultura es dominante, como para nosotros Supermán. O pueden ser héroes e historias locales, como por ejemplo el Capitán Trueno. Sea de un modo u otro todas tienen una rara cualidad: son historias dramáticamente perfectas, terminadas, sin fisuras; cuando la magia, los poderes sobrenaturales o el suceso imposible aparecen, lo hacen limpia y sencillamente: ¿cómo un muchacho puede vencer a un gorila con sus manos?, porque es Tarzán y creció en la selva; ¿por qué Gandalf, el gris, puede lanzar rayos con sus manos?, porque es un mago; ¿cómo es que Supermán puede volar?, porque vino de Krypton; y el Capitán Trueno, ¿cómo puede vencer él solo a veinte sarracenos?, porque puede.

Y, naturalmente, participando de esta cualidad de redondos, de algo que se basta y sobra para explicarse a sí mismo, están los personajes. El héroe, el enemigo, el hada que ayuda, la bruja que pone trabas, el lugarteniente del héroe, y todos los personajes con papel grande o pequeño en el cuento están igualmente terminados que la historia, tienen en ella una función determinada que cumplen sin contradecir las cualidades por las que han sido definidos: valientes, astutos, taimados, inocentes, vengativos, bondadosos, avarientos, fuertes, envidiosos, magnánimos o cualquier otra cualidad fácilmente inteligible e identificable.

Desde el punto de vista adulto estas características de los cuentos y personajes infantiles han sido englobadas, no necesariamente de un modo peyorativo, bajo la etiqueta de la simplicidad: unas historias lineales que empiezan, siguen y terminan justificándose por sí mismas y expresadas de modo sencillo, que suceden a unos personajes fácilmente identificables y con características unidimensionales, o buenos o malos, o blancos o negros. Esto es lo que permite que los niños las puedan entender y gustar de ellas. Hasta este punto el consenso puede ser considerado universal, no es fácil concebir un caso en que la lectura a un niño de cinco años antes de dormirse de *Esperando a Godot* o *La insoportable levedad del ser* sea de provecho, excepto como somnífero.

Ahora bien, esa simplicidad y sencillez en la exposición del cuento y de sus personajes, necesarias para que el niño capte y entre en la historia, no implica en absoluto que la relación entre el niño y el cuento —digamos más exactamente, entre un niño concreto y un cuento concreto sea superficial. A veces esa relación es existencialmente tan profunda que en ocasiones puede mostrarle a algunas personas una de las claves que explican el tipo de vida que están viviendo de adultos. Vamos, pues, a hablar de esa relación.

La psicología, básicamente la de orientación psicoanalítica, se ha ocupado con detenimiento de las leyendas y cuentos de hadas, es decir, de las historias de la infancia de la humanidad y de las historias contadas a los hombres en su infancia. El interés principal de estos estudios ha sido encontrar la significación profunda de estos relatos, buscando lo que de común había en historias aparentemente distintas de diferentes épocas y culturas por un lado, y por otro, la relación simbólica de los cuentos y narraciones con aspectos esenciales del psiquismo humano. Es decir, resumiendo quizá excesivamente tan importante tema, lo que se ha buscado es aquello que es común a todos los seres humanos en cuanto que tales y que ha sido reflejado en leyendas y cuentos que esencialmente simbolizan lo mismo aunque hayan surgido con apariencias narrativas diferentes en distintas épocas y lugares.

De este modo, los mitos universales, como el del héroe abandonado al nacer o de origen humilde o desconocido que realiza grandes proezas y destrona al rey y desposa a la reina, son considerados como emanados del inconsciente del hombre.

Cuando las narraciones pierden su carácter abiertamente legendario y aparecen como cuentos, siguen manteniendo este carácter de conexión con algo íntimo nuestro, lo que explica la pervivencia y la popularidad de algunos; o dicho de otro modo, los cuentos más populares son aquellos que tocan algunos de los temores o deseos más básicos de los seres humanos. Por ejemplo, en relación con el mito que hemos señalado más arriba, hay un buen número de cuentos infantiles en los que los padres abandonan a sus hijos, de un modo claro o camuflado, en bosques preñados de brujas, ogros, lobos y otros seres delicados, y se recordará que en un capítulo anterior hemos hablado del temor que el niño puede vivir de no ser querido, de ser abandonado por sus padres si no cumple con determinados preceptos; de igual modo, son temas corrientes el del ser vulgar que realiza proezas que le hacen ser reconocido, o el del héroe que adquiere algún tipo de poder sobrenatural que le permite enfrentar peligros. Estos temores y deseos básicos del ser humano están, pues, en la raíz de la popularidad de determinados cuentos e historias.

Estas razones, basadas en los estudios psicoanalíticos que han permitido profundizar en el psiquismo del hombre, serían suficientes en sí mismas para tomar con seriedad la relación entre el cuento y el niño, pero para pasar del niño como miembro de la raza humana compartiendo temores y deseos colectivos con los demás seres humanos al niño particular y concreto que en un momento determinado oye un cuento determinado y lo convierte en un favorito, y es ese cuento y no cualquier otro, tenemos que dar un paso más: vamos a considerar que el cuento no es sólo una narración, sino que es una narración y unos oídos que escuchan (o unos ojos que la leen). Es decir, sin despreciar el valor universal del cuento vamos a poner el énfasis en la inevitable interpretación personal que el niño va a hacer del cuento.

La interpretación personal del cuento y el hecho de que ese cuento se convierta en un cuento favorito del niño o resbale hasta el olvido o la indiferencia, depende fundamentalmente del momento existencial que esté viviendo ese niño.

Si retomamos lo dicho en el capítulo anterior, fundamentalmente las ideas de conflicto existencial y las decisiones que el niño tiene que tomar sobre sí mismo, es decir, contestar a la pregunta ¿quién soy yo?, y sobre lo que hacer, se entenderá mejor el porqué de la magia que determinados cuentos pueden ejercer sobre los niños; recuérdese lo que decíamos

al principio de este capítulo, historias inteligibles y perfectamente acabadas que suceden a personajes bien definidos y
fácilmente reconocibles, y son historias que tocan los temores
y deseos básicos del ser humano; además, son historias que
tienden a acabar satisfactoriamente para el héroe, al menos
de modo aparente, casi siempre por la intervención de algún
poder mágico o sobrenatural o por la irrupción de un hecho
sorprendente e inesperado (en otro capítulo se analizará la
importancia para el guion de vida de la dependencia de lo
mágico o lo inesperado para un final feliz).

Cuando el niño está apremiado por las decisiones que
tiene que tomar, o cuando está intentando no sentir la angustia que conlleva el conflicto existencial, puede aparecer una
historia y un héroe que se conviertan en cómplice, en modelo, que dé pistas sobre qué hacer, y que engañe su angustia
puesto que al final todo acabará bien.

Pero decíamos más arriba que una historia es la historia
y los oídos que la escuchan, y esto es literalmente cierto a la
hora de analizar los cuentos favoritos de las personas. Los oídos que escuchan la historia (es decir, el momento existencial
que esté viviendo el niño o el muchacho que la escucha) son
capaces de "ver", de "oír", mucho más lejos y más profundamente en los personajes y las historias de lo que su aparente
sencillez y unidimensionalidad nos podía hacer pensar, y no
se trata, en la mayor parte de los casos, de niveles simbólicos,
sino de descripciones directas y claras de aspectos del héroe
o de la historia que estaban implícitos y que la persona ade-
cuadamente sintonizada con ellos puede captar.

Para aclarar esto, vamos a ver algunos ejemplos; todos
ellos han sido obtenidos en terapia, durante las dos o tres

primeras sesiones. A las personas se les pedía que contasen el cuento favorito de su infancia, y, dentro del cuento, su personaje favorito, como si se lo estuvieran contando a un marciano, la consigna era que por muy popular que fuera el cuento no dieran nada por sobreentendido. La inmensa mayoría de las personas cuentan cosas como las que se van a describir a continuación, sin encontrar el más mínimo paralelismo con sus vidas; sólo más adelante del proceso terapéutico este paralelismo cobrará todo su significado. Veamos, pues, algunos de los cuentos y héroes favoritos de las personas tal como ellos nos lo cuentan.

Un directivo de empresa, de 40 años, aquejado de depresiones cíclicas, en su vida privada se exige la perfección, no fallar, resolver todo, saberlo todo; como la tarea es en sí misma imposible de cumplir y siente terror a expresar su debilidad a las personas de su entorno, termina deprimiéndose. Su personaje favorito, entre los 7 y los 9 años, era Supermán (el de los tebeos); el lector probablemente tendrá alguna idea de quién es Supermán; le propongo que antes de leer cómo es el Supermán de esta persona piense en cómo explicaría él Supermán a un marciano.

Si ya tiene su propia versión de Supermán, compárela con ésta: "... un hombre muy fuerte que podía volar y a quien las balas no hacían mella y ayudaba a los desamparados haciendo justicia por el mundo. Estaba enamorado de una chica, la cual no le hacía caso cuando estaba bajo la apariencia desvalida de un hombre normal tras la que se escondía para vivir normalmente, y eso le hacía desgraciado porque no gustaba más que cuando era fuerte y podía volar, que era lo que menos le gustaba a él. Estaba triste cuando veía que a quien quería la chica era al hombre fuerte y no al débil y tímido". ¿Había usted pensado alguna vez en Supermán como un tipo triste, débil y tímido, necesitado de volar para ser querido? Estas características del personaje, ¿las inventa esta persona o están ahí esperando a que el chico existencialmente sintonizado con ellas las capte? Veamos más ejemplos.

Un joven profesional, de veinticinco años, que plantea problemas de verdadera integración afectiva con las personas y una dificultad para establecer compromisos, cuyo resultado es una sensación de soledad y de desperdicio de su vida. Elige su personaje favorito entre los nueve y los doce años, es Tarzán, el de las novelas, que es explicado así: "... es un chico cuyos padres mueren en la selva al nacer él y es criado por una mona que él cree que es su madre. Crece creyendo que es un mono, aunque más feo que los demás; un día encuentra en la cabaña de sus padres una cartilla y aprende a leer él solo; allí descubre que no es un mono y cuando se lo va a decir a los monos se tiene que callar porque, aunque sabe que no es un mono, no sabe lo que es". La angustia existencial sobre la propia identidad es clara, pero puede resultarnos chocante un Tarzán existencialmente angustiado mientras se lanza de rama en rama.

Ahora bien, aunque no siempre es posible comprobar el cuento original que oyó o leyó la persona de chico, tanto en el caso de Supermán como en el de Tarzán nos ha sido posible. Supermán, cuando es Clark Kent, es un tipo triste, débil y tímido al que *quizá* le gustaría dejar de ser Supermán. En las novelas de Tarzán *están* realmente los episodios en que Tarzán se ve como mono feo, que aprende a leer, y en que va a decirles a los otros monos que él no es uno de ellos pero no sabe qué decir. Para entenderlos así hay que mirar las historias de un modo peculiar (producto, repetimos, de la situación existencial del lector), pero todo ello está en las historias a la espera de esa mirada.

Pero no sólo es que la persona interprete de tal o cual modo una historia lo que le da un valor especial, también fundamentalmente tenemos en cuenta el hecho de que la historia que es así interpretada se convierte en la historia favorita de la persona en una época de su vida, es decir, ejerce una fascinación especial sobre el chico por lo que su análisis es especialmente relevante. Pongamos otros ejemplos.

Un estudiante, de dieciocho años, es llevado por sus padres a la consulta tras el tercer intento de suicidio; su personaje favorito es Robin Hood, que es "un inglés que lucha contra el príncipe Juan, hermano del rey Ricardo que está en las cruzadas, hasta que éste vuelve y arregla todo. Roba a los ricos para dárselo a los pobres. Es valiente y generoso, pero es un poco ingenuo (el chico hablaba de sí mismo como tímido, generoso e ingenuo) y si no vuelve el rey Ricardo terminará colgado de un árbol".

Una muchacha, trabajadora, de veinte años; en la primera sesión explica su problema diciendo que está muy deprimida, mucha dificultad en establecer relaciones íntimas, "tengo miedo a abrirme con la gente porque en otro momento la persona puede utilizar lo que dices en contra tuya". Teme terminar sola. En la siguiente sesión cuenta su historia favorita, la leyó alrededor de los diez años, es *La Sirenita*: "Una sirena quiere ser persona, para ello va a una bruja que la hace persona, pero a costa de dejarla sin voz. La recoge un príncipe en un castillo y ella se enamora de él. Luego el príncipe salva a otra mujer. El príncipe se enamora de la otra, pero, como ella no tiene voz, no puede decir nada. Vuelve en un barco y se tira al mar, como si se matase, se hiciese mar". Para la muchacha, que es una persona que no puede comunicarse, la historia que más le ha gustado en su vida, cuya protagonista es alguien que tampoco puede comunicarse (ella lo cuenta así), no tenía nada que ver bajo su punto de vista, en esa segunda sesión, con ningún aspecto de su vida. Y ésta es la historia general cuando las personas hablan de sus cuentos favoritos, en esos primeros momentos del tratamiento.

De un modo concreto, el conocer el cuento y el personaje favorito de las personas nos sirve para entenderlas mejor, teniendo siempre en cuenta los siguientes puntos:

a) La historia y el personaje se convierten en favoritos para la persona porque tocan temores y deseos profundamente arraigados en ella, y

b) porque vienen a dar algún tipo de solución, algún tipo de respuesta o algún tipo de modelo que alivia el conflicto existencial que está viviendo la persona: le dan una visión, todo lo fantástica que se quiera, pero completa, en cuanto que es una historia que empieza y termina, de cómo se puede ser, qué cosas se puede hacer y qué cosas puede esperar uno que le pase (por ejemplo, terminar mal, muy mal, si no viene el rey Ricardo a salvarle a uno), es decir, pistas para definir el guion de vida.

c) La historia y el personaje son siempre como la persona que nos la cuenta dice que son: si la persona dice que Tarzán estudió existencialismo con Sartre, es que lo hizo: es su personaje favorito y es quien más sabe de él (en la terapia esto permite que el terapeuta no tenga necesariamente que conocer la historia que le cuentan, aunque, obviamente, siempre ayuda).

Cuando más evidente nos parezca la relación de la historia, en su versión clásica, con algún aspecto de la vida de la persona más cuidado hemos de tener en atender a la versión personal de la historia. En este aspecto, hay que tener especial cuidado con los cuentos y personajes que más frecuentemente aparecen como favoritos. En nuestra experiencia los más frecuentes son el *Patito Feo* y Pulgarcito, y en personas que actualmente tengan más de cuarenta años, el *Capitán Trueno*.

El Patito Feo, más frecuente en mujeres, suele ser el favorito en personas que han desarrollado una conciencia de no ser muy agraciadas, pero esto es tan evidente en la mayor parte de los casos, que quedarse aquí ayuda poco a comprender algún aspecto del guion de la persona y hay que oír con mucha atención la versión personal, no todos los patitos son feos por lo mismo, ni sienten lo mismo, ni les hace vivir de la misma manera, ni entienden el convertirse en un cisne de la misma manera, ni, sobre todo, harán lo mismo si ven que ser un cisne es imposible. Igualmente, Pulgarcito, que suele ser favorito de muchos Salvadores, requiere ir más allá de este hecho. Es decir, siempre hay que buscar la versión personal. Dos personas cuyo personaje favorito era el Capitán Trueno en ambos casos, después de describir al personaje en los términos habituales de un valiente caballero que daba estopa a la morisma, uno de ellos introduce en su versión que "el día que no tenga suficiente fuerza para hacerse respetar, se reirán de él", mientras la otra dice que "nunca termina las batallas, lo que da un poco de miedo".

Para otras dos personas cuyo personaje favorito es Frodo, el héroe de *El Señor de los Anillos*, cuando comentan su victoria final, una de ellas dice que "es el triunfo del bien sobre el mal", mientras que la otra apunta que "Frodo gana porque sus aliados son más fuertes, mejores magos y sus ejércitos son mejores". Estas diferencias, estas apreciaciones personales, unas veces serán relevantes y otras no tanto, pero son las que debemos atender.

d) Cuando se pide la historia favorita, hay que pedir también el personaje dentro de la historia que realmente impactó más, porque puede ser un personaje secundario en la historia, como Crispín en *El Capitán Trueno* o en los cuentos de pandillas de chicos la elección del amigo del líder, etc. Es un buen indicativo de ideas sobre uno mismo con influencia en el guion.

e) El cuento favorito que impacta más tiende a aparecer en épocas de conflictos existenciales, por eso cuanto más atrás aparezca es posible que sea un índice de que el chico tuvo que dar respuesta antes, y por tanto con menos medios a su alcance, a cuestiones existenciales importantes.

f) No siempre la persona puede señalar un cuento favorito o aportar datos que sean relevantes para entender su guion o una parte de él. ¿No hubo un cuento favorito, sino retazos de muchas historias? ¿No lo recuerda por alguna razón? ¿Sus modelos no estaban en la ficción? Según los casos nos hemos inclinado por una respuesta u otra pero no estamos en condiciones de definirnos con seguridad. De todos modos, aprovechamos para decir que el cuento o los cuentos favoritos no son el guion de vida, sino un instrumento para entenderlo y analizarlo muy poderoso, a veces decisivo, pero en términos estrictos prescindible.

g) Si no aparece una historia en la infancia, se puede utilizar la favorita de la adolescencia, e incluso alguna actual. En realidad, el ideal es investigarlas todas y ver si hay elementos que se repitan en las versiones que la persona da de ellas. Cuando esto sucede, con seguridad estamos ante un segmento importante del guion de vida de la persona.

El resumen de este capítulo se puede expresar así: cuando a través de los mensajes de los padres y de la presión del entorno en lucha con sus propias tendencias naturales, que es lo que hemos definido como conflicto existencial, el niño se ve abocado a tomar decisiones sobre quién y qué es él, qué es lo que hacer y qué es lo que puede esperar de los otros y del futuro, es muy posible, dado que los cuentos e historias en forma de narraciones verbales, lecturas o películas son omnipresentes en la vida infantil, que oiga una historia donde aparezca un héroe con el que sintonizar existencialmente; esta historia y este héroe se convierten en favoritos (los niños vuelven una y otra vez, obsesivamente a sus historias favoritas) porque ayudan a manejarse con los temores, deseos y decisiones, dan pistas sobre cómo se es, qué hacer y qué esperar.

Es decir, ayudan a dar forma al guion de vida. Por lo tanto, el análisis de los cuentos y héroes favoritos de la persona, teniendo en cuenta que éstos siempre serán tal como ella dice que son, ayudará a entender y a intervenir en el guion de vida de esa persona.

10

EL GUION DISPUESTO

*... pensó que en alguna parte Chestov había hablado de peceras
con un tabique móvil que en un momento dado podía sacarse sin que el
pez habituado al compartimento se decidiera jamás a pasar al otro lado.
Llegar hasta un punto del agua, girar, volverse, sin saber que ya no hay
obstáculo, que bastaría seguir avanzando.*

J. Cortázar, *Rayuela*

Han sido descritos los elementos y factores básicos para
la formación del guion: lo que se espera del niño por parte de
sus padres (fundamentalmente lo que espera, desea y teme el
Niño de los progenitores o cuidadores), el primer marco psicológico de seguridad o inseguridad, el conflicto existencial
del niño, los mensajes, las decisiones, la aparición del héroe.
Vamos a resumir ahora el proceso describiendo los pasos principales en la formación del guion de vida.

a) El niño recibe unos *mensajes*, generalmente de sus padres, que le indican lo que se espera de él; estos mensajes son
verbales y no verbales; los más fuertes para la formación del

guion son los no verbales: actitudes, gestos, muecas, sonrisas.

El niño, además, tiene unas *experiencias* que le indican lo que él puede esperar; y todo esto le provoca unos *sentimientos*, que tendrá permitido sentir o no (en seguida hablaremos de esta cuestión).

b) Con todo lo anterior toma una *decisión* sobre sí mismo, sobre los demás y sobre lo que hará. La aparición del héroe puede ayudarle a ello.

c) La decisión da lugar al *mito*, que es lo que él se cree que es: cariñoso, bueno, malo, tonto, listo, atractivo, astuto, engañable, capaz o incapaz de sentir afectos, etc. Insistamos en que en muchas ocasiones la decisión sobre lo que uno es, el mito, viene fuertemente forzada por alguna atribución de ser tontos o malos; incluso contra la evidencia los padres les atribuirán esas cualidades e incorporarán un mito de tonto, malo, etc. La combinación del mito con lo que se piensa de los demás da lugar a una posición existencial (yo estoy bien, tú estas bien; yo estoy mal, tú estás bien, etc.) que se vincula a la decisión.

d) La persona realiza un *comportamiento* que concuerda con su mito: el comportamiento refuerza el mito, lo que a su vez hace más probable que se repita ese comportamiento.

e) La repetición de ese comportamiento tiene unas consecuencias que acercan al individuo a un tipo de *final*, al que a veces la persona asiste impotente, como si fuera algo impuesto por algo externo a él. (De hecho, los mensajes y las presiones fueron externos a él, pero el significado que para él tomaron y la decisión que tomó son inconscientes, en el sentido en que anteriormente ha quedado expuesto.) También comentaremos más adelante los tipos de final de los guiones de vida.

1. Sobre los sentimientos

En el punto a) hemos señalado que el niño puede tener permitido o no expresar los sentimientos que experimenta; es más, puede incluso tener prohibido sentir una determinada emoción. De hecho, en cada familia hay sentimientos más favorecidos que otros.

Por ejemplo, en la familia Oliveira cuando el pequeño Horacio falla jugando a la rayuela y expresa su rabia de una manera genuina y sin trabas, el señor y la señora Oliveira le miran severamente y durante un rato su actitud refleja su molestia, pero si Horacio cuando falla hace un puchero y se sienta cabizbajo en el suelo, los padres acuden donde está él y le consuelan y animan.

Estamos de nuevo ante una situación potencialmente generadora de un mandato para el guion: "ante aquello que te frustre puedes sentir tristeza, pero no rabia". O más exactamente, en términos de cómo integramos las personas los mandatos a cumplir en el guion: "No expreses (o no sientas) rabia". "Puedes estar triste"; y de un modo operativo: "cuando suceda algo que te provoque algo tan peligroso como sentir rabia (peligroso porque está en juego el aprecio de los padres) siente tristeza". Sin embargo, se puede comprender fácilmente que hay situaciones donde lo adecuado sería responder asumiendo y expresando el sentimiento de rabia que nos provocan, al ser testigos o víctimas de un abuso el genuino sentimiento de rabia nos será más útil para enfrentar el abuso que si, por tener prohibida en nuestro guion la expresión de la rabia, caemos en un sentimiento de tristeza.

Con otros sentimientos básicos puede suceder lo mismo: el señor Peloenpecho, cada vez que sus hijos varones muestran miedo, manifiesta su desprecio endureciendo el tono de su voz, pero si se ríen falsamente ante un peligro, ríe con ellos y les palmea la espalda.

La señora Sequillo, cuando su hija trepa a su regazo y le hace manifestaciones físicas y verbales de afecto, se levanta incómoda porque tiene algo que hacer, pero está con su hija buenos ratos mientras ésta se comporte "adultamente".

Estas situaciones, algo caricaturizadas, aunque no mucho, provocan, cuando son impuestas por los padres de modo repetitivo e intenso, que algún o algunos sentimientos se conviertan en algo muy peligroso para el niño si los experimenta o los expresa. Cuando la situación le acerca a ellos los sustituirá por otros familiarmente aceptados.

Estos sentimientos que sustituyen a otros sentimientos que se viven como peligrosos se han denominado en AT "rackets"; los rackets son los chantajes que la mafia impone a los comerciantes para "protegerlos" de ella misma, o sea, paga sintiéndote triste para no recibir el terrible castigo que te sobrevendrá si expresas rabia (para otro caso particular el racket podría ser la rabia y sentimiento prohibido, la tristeza; las combinaciones posibles entre sentimientos son múltiples).

Los sentimientos prohibidos están entre alguna de las emociones básicas, como la pena o tristeza, la rabia, el amor, la alegría o el miedo; los rackets pueden ser alguna de éstas que aparecen falsamente (en el caso de la familia Peloenpecho el racket que sustituye al miedo es una falsa alegría), u otro tipo de sentimientos espurios o confusos como celos, inadecuación, vergüenza, culpa, envidia, inutilidad, etc.

La razón por la que los padres prohíben determinados sentimientos a sus hijos está, lógicamente, en que ellos los tienen prohibidos en sus propios guiones, su Niño se siente amenazado por ese sentimiento porque pasó por la misma situación que hemos descrito anteriormente. Naturalmente, las personas ofrecemos multitud de racionalizaciones y lugares comunes al incauto que cometa la imprudencia de preguntar por qué no expresamos tal o cual sentimiento: "a fin de cuentas enfadarse no sirve de nada", "si quieres a alguien, lo sabe sin decírselo", "la pena es para las mujeres", "¿pero existe eso que llamamos amor?", etc.

Más tarde, el racket pasa a formar parte del propio mito, de lo que uno cree que es: poco afectivo, imposible de hacer enfadar, etc., y ya está dispuesto para ser repetido y determinar una parte importante del guion personal, de lo que a uno le va a pasar: si Horacio acepta el racket y se deprime en lugar de enfadarse, cuando la situación pida el enfado para ser resuelta, es difícil que años después le veamos como ejecutivo de marketing, abogado defensor, defensa central, o miembro de Greenpeace, con cierto grado de éxito.

El ejemplo nos permite comentar el hecho de que el guion tanto dice lo que ser y lo que hacer como lo que no ser y lo que no hacer; este factor de limitador de vida que tiene el guion, cuanto más exacerbado esté, más relación tiene con la frustración e infelicidad de las personas.

Un modo típico de cómo los rackets aparecen en la vida adulta se puede ejemplificar como sigue: cuando cada tanto la

familia Pérez de Bonvivant se reúne para celebrar alguna efe-
mérides, en el momento en que las risas y el buen humor están
en su punto más alto, la tía Angustias suspira sobrecogedora-
mente y dedica un recuerdo a los hambrientos de la India; el
que más y el que menos de los Pérez de Bonvivant siente algo
de culpa y alguno un poco de rabia contra la tía Angustias.

Además de iniciar un Juego, la tía Angustias está experi-
mentando su racket de pena ante la prohibición de sentir alegría; el exceso de alegría en el ambiente provoca que haya una
intervención tan dura. De hecho, la alegría baja y, si alguien le
expresa su rabia, ya puede sentir genuinamente la pena. La tía
Angustias no es una malvada aguafiestas –aunque si usted es
un Pérez de Bonvivant comprendo esos momentos de sorda
rabia que le enrojecen las orejas–, es sólo una persona con un
guion que excluye la alegría; pero si usted, inocentemente, le
dice a la tía Angustias que no se permite sentir alegría, ella
probablemente le contestará que claro que se lo permite, lo
que pasa es que es una persona muy sensible ante los males
de la humanidad, que es el mito de no ser alegre presentado
de un modo racionalizado y aceptado personal y socialmente.

En la terapia primero aparece el mito racionalizado, luego
el mito tal cual es, luego la decisión, el entorno que la provo-
có, etc., como capas de una cebolla que cubren el corazón del
asunto: un niño angustiado.

Digamos para completar este tema que las personas con
más facilidad para expresar sus sentimientos genuinos no han
sido criadas en el descontrol, simplemente no se les ha desvalorizado sus sentimientos, no se les ha condicionado el cariño
a un sentimiento u otro y, fundamentalmente, han recibido

protección de sus progenitores y cuidadores para expresar y aprender a tener un cierto control sobre ellos.

Estas personas hablan de que percibieron a sus padres en actitudes tales como: "puedes sentir miedo, a veces te salvará de peligros, pero también puedes enfrentarlo", "es lógico que sientas pena por... te ayudaré a que la superes", "me gusta cuando me dices que me quieres, no pasa nada si a veces no me lo dices", "yo también me enfadaría por una cosa así", etc. En definitiva, actitudes que denotan respeto, voluntad de comprender y protección, que están tan alejadas de las actitudes prohibitivas y restrictivas como de el desentenderse tan frecuentemente vivido por los niños como desamor.

En un capitulo anterior hemos hablado de los mensajes que inciden en la formación del guion, centrándonos en los que limitan o coartan fuertemente a la persona. De entre éstos, acabamos de ver con algo más de detenimiento los que se refieren a los sentimientos. Pero aún nos queda algún tipo de mensaje, importantes por ver para completar la idea del guion ya dispuesto para funcionar como tal. Veamos estos mensajes.

2. El contraguion

Cuando una persona acude a terapia o, de modo más general, cuando alguien habla de su vida y, concretamente, cuando habla de la influencia que pudieron ejercer sobre él sus padres o cuidadores, es difícil (aunque no imposible) que le oigamos cosas como que sus padres le dijeron expresamente no vivas, no triunfes, no seas alegre, bebe en lugar de pensar; incluso aunque hayan recibido mensajes así y éstos estén empujando un guion destructivo o generador de infelicidad, lleva tiempo esfuerzo que asuman que realmente fue así.

Esto sucede porque, como ya hemos dicho, estos mensajes, que provienen del Niño de los padres, son habitualmente transmitidos por medio de conductas no verbales, actitudes, gestos, etc. Sin embargo, las personas podemos recordar una cantidad de mensajes que nuestros padres nos transmitieron de palabra sobre cómo había que ser, comportarse, etc.

Para la mayoría de las personas estos mensajes tienen un cariz positivo y su contenido es aceptado socialmente. Provienen del Padre de los padres o cuidadores y son del tipo de "sé un buen chico", "tú tienes que ser el número uno", "sé afectuoso", "preséntate siempre bien arreglado", "un hombre bueno es educado", "una mujer buena es limpia", etc.

La primera observación que se puede hacer es que en personas con guiones nocivos, los mensajes destructivos provenientes del Niño de sus padres coexisten con mensajes de este tipo, provenientes del Padre de sus padres, de cariz positivo y por lo tanto opuesto a los otros mensajes. Por ello se les denominó mensajes de contraguion. Unida esta observación al hecho de que las personas parece que *no siempre están bajo el influjo del guion*, es decir, personas cuyo guion incluye, por ejemplo, perder los trabajos ("no tengas éxito") o la pareja ("no pertenezcas"), pasan por épocas donde mantienen un empleo o viven en pareja y da la impresión de que se abandonó ese guion destructivo o de infelicidad porque la persona pasó a seguir los mensajes positivos del contraguion.

Se pensó, pues, que la labor terapéutica consistiría en acentuar los mensajes del contraguion. Pero, de hecho, los mensajes de contraguion tienen mucha menos fuerza que los del guion (los mandatos y requerimientos, por ejemplo, "no

triunfes", y las atribuciones, por ejemplo: "sé tonto"), y, finalmente, las personas volvían a caer en su guion (en realidad,
como señala Steiner, un guion trágico al igual que una buena
tragedia teatral, requiere para ser verdaderamente trágico que
el héroe esté a punto de salvarse). Y no sólo es que por ser
más fuertes, por estar arraigados más profundamente y por
ser muy amenazadores, la labor terapéutica debe ser ayudar
a librarse de los mandatos y las atribuciones del guion, per-
mitiendo a la persona enfrentar la "magia" que los mantiene
(la idea de que sobrevendrá una tragedia si se incumplen) es
que, además, con frecuencia, los mensajes de contraguion en
realidad impulsan el guion.

Pongamos un ejemplo, para lo cual vamos a presentar una
matriz de guion, que es una de las aportaciones de Steiner a la
teoría del guion. Una matriz de guion es un diagrama en el
que se representa a la persona y a sus padres, como caso más
habitual, y de un modo gráfico se plasman los mensajes que
dan lugar a un guion de vida o a una parte importante de él.
Se han propuesto diferentes tipos de matrices, unas con justi-
ficación y otras pura gollería teórica; aquí vamos a utilizar un
modelo simple de matriz que generalmente basta y sobra para
comprender el guion o el segmento de guion de que se esté
tratando; de todos modos el lector interesado en los distintos
tipos de matrices de guion que se han propuesto, puede en-
contrarlas en Kertesz, (1977) y Senlle, (1984).

La matriz que presentamos es la del guion de Seygmour,
un hombre joven, con unas buenas cualidades, por encima
de la media, para tener éxito profesional, y que, sin embargo,
no lo tenía; en el momento de acudir a terapia estaba muy

desmotivado, encontrando problemas para interesarse por logros que le podían conducir a tener éxito; de hecho se retiraba antes de empezar. Sobre el tema del éxito, el mensaje de contraguion que recibió Seygmour de ambos progenitores fue "sé el número uno"; éste aparentemente, y para un muchacho dotado, puede ser un mensaje que impulse a altos logros, pero en el transcurso de la terapia fue quedando claro que su padre, hombre de éxito, mientras que verbalmente le impulsaba hacia arriba, con su actitud se complacía conque el hijo no le superase: para el Niño del padre, el hijo era un competidor peligroso; la matriz del guion de esta situación era la siguiente:

Diagrama 6

Padre   Seygmour   Madre

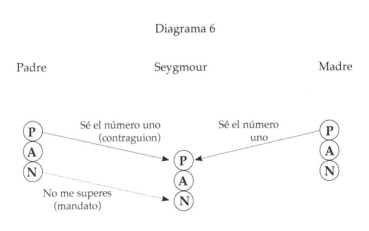

Si traducimos el conflicto de Seygmour a calificaciones escolares de 0 a 10, a Seygmour verbalmente se le pedía el 10; si obtenía el 7 sentía que no cumplía con lo que se esperaba de él, con lo cual tendía a desmoralizarse y a sentir que su esfuerzo

no valía la pena, con lo que de hecho obtenía el suspenso y así cumplía el mandato.

Para un observador externo, en las épocas en que estuviera trabajando y obteniendo sietes, le daría la impresión de que estaba fuera de un guion de fracaso, cuando en realidad estaba echando leña para un nuevo episodio de guion intenso. Seygmour necesita permiso, no sólo para sentir que tiene derecho a superar a su padre sin que el mundo se derrumbe, sino también para no ser el número uno y entonces poder tener todo el éxito que su capacidad permita.

¿Quiere esto decir que todas las ideas, los mensajes y consejos que los padres transmiten a los hijos y que hemos englobado bajo el nombre de mensajes de contraguion son inútiles cuando no claramente nocivos? No, lo que esto quiere decir es que cuando hay mandatos, con esa cualidad de nocivos que tienen los mandatos, éstos son mucho más fuertes que los mensajes de contraguion, e, incluso, alguno de estos mensajes ayudan, paradójicamente en apariencia, a que se cumplan los mandatos: el guion gira en torno a los mandatos (las decisiones que el niño tomó sobre los mandatos) incluso en esos períodos en que la persona aparece como libre de guion. Pero cuando la persona está luchando en serio por abandonar su guion —en terapia o fuera de ella— algunos de estos mensajes, los auténticamente protectores son de un gran apoyo; aunque lo verdaderamente contrario a los mandatos, como ya se dijo en el apartado de los mensajes, son los permisos (para ser uno mismo, para triunfar, para sentir, etc.) que nacen en el Niño de los padres. Veamos un ejemplo de matriz de guion que tenga esta cualidad.

Diagrama 7

Padre   Seygmour   Madre

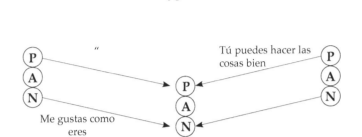

En la práctica puede no ser fácil distinguir a primera vista lo que es un período de contraguion entre dos representaciones del guion y lo que es un auténtico abandono del guion, pero con un poco de atención se descubre que en los períodos de contraguion hay tensión, se mantiene básicamente el estilo de vida del guion y, sobre todo, hemos observado un excesivamente intenso afán por convencerse y convencer a los demás de que todo ha cambiado radicalmente.

Dentro de los mensajes de contraguion, Kahler y Capers (1974), definieron cinco que impulsan conductas que, a su vez, reforzaban el guion de las personas. Llamaron *impulsores* a estos mensajes y *miniguion* a la secuencia de comportamiento que resulta en un refuerzo e impulso del guion (el término miniguion viene de que esta secuencia sucede en el lapso de minutos o incluso segundos). Estos cinco mensajes impulsores son: Sé perfecto, Inténtalo una y otra vez, Date prisa, Complace y Sé fuerte. Se observará que los cinco están expresados como órdenes; internamente los sentimos como yo estoy bien si... (soy perfecto, o me doy prisa, etc.) o, la otra cara de la moneda, yo estoy mal si no... (soy perfecto, o me doy prisa, etc.); en este sentido impulsan nuestra conducta. Vamos a definirlos con algo más de precisión:

Sé Perfecto.– Quien actúa bajo los efectos de este impulsor necesita el 10 para sentirse bien, controlar todos los factores antes de actuar; internamente, siente que no actúa lo suficientemente bien (el mensaje de contraguion de Seygmour "sé el número uno" es el impulsor "sé perfecto").

Inténtalo una y otra vez.– Supone la necesidad de esforzarse continuamente, de probar nuevas alternativas antes de terminar la anterior; rara vez consiguen resultados definitivos, con lo cual lo pueden intentar otra vez.

Date prisa.– Cuanto antes se terminen las cosas, mejor. Están siempre en movimiento. La rapidez y la actividad es algo considerado como bueno en sí mismo.

Complace.– Se sienten responsables de que los demás estén bien a su alrededor. Sienten una fuerte critica interna de egoísmo si dicen que no a alguien.

Sé fuerte.– No hay que mostrarse débil. Para una persona que siga este impulso, la expresión de cualquier emoción es debilidad. Mucha dificultad para pedir y aceptar ayuda.

La importancia de estos mensajes, además de en lo ya expresado, radica en lo siguiente: están absolutamente generalizados porque son muy aceptados socialmente, la perfección, el esforzarse, la rapidez, la disponibilidad hacia los demás y la fortaleza emocional son monedas socialmente muy apreciadas, por eso la transmisión de estos mensajes es abierta y verbalizada por parte de los padres a los hijos; no es raro que las personas actuemos al menos bajo el influjo de dos de ellos combinados: por ejemplo, sé perfecto de prisa, intenta una y otra vez complacer, etc.

Se podría pensar que si son mensajes aceptados socialmente, aparentemente saludables, por qué se considera que impulsan los guiones de fracaso e infelicidad. La respuesta está en que son órdenes (mensajes imperativos) *imposibles de cumplir*; por un lado, nunca se es perfecto del todo, siempre se puede dar uno más prisa, no se puede ser siempre fuerte, etc., con lo que la persona siente que no está bien; pero por otro, cuando está intentando cumplir con el impulsor, la consecuencia tampoco es buena para la persona: en el siguiente cuadro resumimos la situación.

Tabla 2
Mensajes Impulsores

IMPULSOR	Si falla en cumplir con él siente:	Si intenta cumplirlo:	Permiso opuesto al impulsor
Sé perfecto	No eres lo suficientemente bueno	No ser uno mismo. Abandonar porque no se es perfecto	Está bien ser tú mismo. Puedo hacerlo suficientemente bien
Inténtalo otra vez	Que pierde opciones mejores. No saldrán bien las cosas	No consigue cosas. No da nada por terminado	Está bien conseguirlo. Está bien darlo por terminado
Date prisa	Nunca terminarás. Nunca harás nada	No tener tiempo para uno, ni para alcanzar una cierta calidad en las tareas	Está bien que le tomes tu tiempo
Complace	Eres egoísta, no eres lo suficientemente buena persona	No considera sus deseos ni sus necesidades	Está bien considerarte y respetarte. Puedes decir "no"
Sé fuerte	Eres débil	Acumula sentimientos. Se siente solo	Está bien expresar, cuidarte y pedir ayuda

Es decir, los impulsores impulsan el guion por la manera como están expresados dentro de nosotros, como órdenes vinculadas a estar bien o mal: tú estás mal si no... (cumples con el impulsor).

Si el lector se fija en la segunda y tercera columna del cuadro, observará cómo esos sentimientos y esas consecuencias encajan perfectamente en guiones de fracaso, de infelicidad, de insatisfacción o de soledad. En la cuarta columna hemos introducido aquello que es realmente opuesto al impulsor, es decir, el permiso que exime de la orden. Como se ve, comparando cada impulsor con su permiso correspondiente, los impulsores no resultan tan positivos como socialmente aparentan; por ejemplo, el permiso opuesto a complacer es que está bien considerarse y respetarse uno mismo y que se puede decir "no" a los demás, lo que no es ser egoísta, que es lo que la persona que sigue el impulsor "complace" piensa y por lo que siente que tiene que seguir en él.

Es muy útil trabajar sobre los impulsores, son fáciles de observar, en unos minutos de conversación o de actuación la persona lo muestra, y se comprenden más fácilmente que los mandatos del guion. Frenando y controlando los impulsos frenamos el guion (recuérdese el caso de Seygmour) y damos opción a un más efectivo trabajo para su abandono.

Hemos hablado del mecanismo de formación del guion, de los sentimientos y los rackets, del contraguion y los impulsores. Tenemos muchos de los más importantes elementos en la formación del guion de vida. Empezamos situándonos antes de la llegada del niño a la familia, y desde entonces, si bien no estamos siguiendo un orden cronológico, le han pasado unas cuantas cosas: expectativas, mensajes verbales y no verbales, conflictos, héroes que aparecen, sentimientos; en definitiva, presiones para que decida, a veces muy tempranamente, a veces con muy poca información sobre sí y sobre el mundo, acerca de temas tan importantes como quién y qué es él y qué hacer en la vida: para que siga un guion u otro.

(Releo el capítulo y siento que no es lo suficientemente perfecto, estoy tentado de intentarlo otra vez, pero debo darme prisa para complacer a mi editor. Bien, no me lamento más, seré fuerte y pasaré al siguiente capítulo.)

PARTE III
EN TORNO AL GUION

11

TIPOS DE GUION

... bien podría suceder que el panadero de la esquina fuese un avatar de Napoleón..., podría comprender que ha repetido y que está repitiendo a Napoleón, que pasar de lavaplatos a dueño de una buena panadería en Montparnasse es la misma figura que saltar de Córcega al trono de Francia, y que escarbando despacio en la historia de su vida encontraría los momentos que corresponden a la campaña de Egipto, al consulado y a Austerlitz, y hasta se daría cuenta de que algo le va a pasar con su panadería dentro de unos años, y que acabará en una Santa Helena que a lo mejor es una piecita en un sexto piso, pero también vencido, también rodeado por el agua de la soledad, también orgulloso de su panadería que fue como un vuelo de águilas.

J. Cortázar. *Una flor amarilla*

El guion, dado que es el plan de vida definido en nuestra infancia como respuesta a la influencia parental, es necesaria y obviamente personal. El niño es un individuo único, sus padres son únicos —incluso si tiene hermanos, su posición, las expectativas que despierta, etc., hace que sus padres sean únicos y diferentes a todas las demás personas—, la relación entre ellos es, pues, única. Cada guion de vida debe ser considerado, por lo tanto, como único.

Sin embargo, como en tantos aspectos de la psicología parece que debemos tener en cuenta, a la vez, las sentencias que dicen, una de ellas, "cada hombre es un abismo, da vértigo asomarse a él", y la otra, "lo más profundo de un hombre es su piel". En nuestro trabajo de entender y ayudar a cambiar a las personas cada vez es más fuerte la convicción de que las dos sentencias son simultáneamente ciertas. Así, cada vez que he penetrado en el guion de vida de alguna persona he tenido la sensación de asistir a una auténtica peripecia personal, irrepetible, en ocasiones de gran intensidad, pero también la sensación de dar con las mismas piedras donde los hombres tropezamos y las mismas fuentes donde saciamos nuestra sed. Este segundo aspecto, lo que hay de común en los guiones de grandes grupos de personas lleva a la definición de algunos tipos de guiones.

Los guiones pueden ser agrupados, desde un punto de vista teórico, atendiendo a diversos aspectos. De hecho, cualquiera de los componentes básicos del guion que hasta ahora hemos visto, puede servir para establecer agrupaciones, pero, desde un punto de vista práctico, las más sencillas son las más operativas.

La primera división de los guiones fue realizada por Berne. Decía que lo primero que había que averiguar de un guion de vida era si es un guion de *fracasado* o de *triunfador* –de rana o de príncipe–, introduce además una tercera categoría que es la de no triunfador, que ni fracasan, ni triunfan.

Berne dice que un triunfador es aquel "que cumple su contrato consigo mismo y con el mundo", y pone algunos ejemplos de estos contratos, como "ganar 100.000 dólares, correr una milla en menos de cuatro minutos o conseguir un doctorado en Filosofía"; "un triunfador es el que se convierte en capitán del equipo, sale con la Reina de Mayo, o gana en la partida de póquer".

Cuando a este lado del Atlántico se leen cosas como ésta, resulta difícil sustraerse a la visión de un Berne mascando chicle, tocado con una gorrita de béisbol, untando de mostaza un perrito caliente mientras ve en la televisión como los Lackers masacran a los Knicks en la final de la NBA. De hecho, su sesgo norteamericano es una de las críticas que desde Europa se le han hecho a Berne y al AT. Es una crítica justificada, pero que a estas alturas ha sido subsanada por el trabajo de mucha gente, separando lo local de lo universal.

También sería presuntuoso por nuestra parte pretender redimir a Berne de sí mismo; para cualquiera resulta claro, y es obvio que para Berne también, que una persona que gana 100.000 dólares puede ser un fracasado a nivel personal y cortarse las venas con el filo del talonario: la idea de guiones de triunfador, de no triunfador y de fracasado es intuitivamente muy clara para cualquiera y es fácil separar la noción de triunfador o fracasado en términos de éxito social o material del triunfo o el fracaso a nivel personal, afectivo y vital (aunque, por supuesto, no tienen porque excluirse). Con todo, el lenguaje nunca es neutral y las connotaciones de la vida como competición y de premio como objetivo que se desprenden de significantes tales como fracasado y triunfador no son ajenos a concepciones ideológicas, políticas, culturales y religiosas desde luego nada neutrales con respecto a lo que los seres humanos deben pensar.

El criterio de Berne del guion de triunfador como el que cumple su contrato consigo mismo y con el mundo (y lo contrario para el perdedor) es, de todos modos, algo confuso. Implica que el contrato sea una meta, un objetivo, en sí mismo sano y positivo para todos los aspectos de la vida de la persona, y esto a su vez implica tener ya un guion que permita, primero, objetivos positivos, y, segundo, que permita alcanzarlos; por lo tanto, es como si Berne dijera que un triunfador es el que tiene un guion de triunfador (y viceversa). De momento vamos a quedarnos con la idea intuitiva de que las personas siguen líneas de vida, guiones de triunfadores, no triunfadores y fracasados.

Al haberse desarrollado el estudio del guion principalmente en el campo de la psicoterapia, los primeros guiones que llamaron la atención son aquellos que conducen a la persona hacia un final trágico; suicidio, encarcelamiento, incapacitación, drogadicción, etc. A estos guiones se les denomina *hamárticos* ("hamartia" es el error trágico que conduce al final catastrófico al héroe en las tragedias griegas), y, por supuesto, es muy importante identificarlos como tales. Las personas con guiones hamárticos han recibido mandatos muy duros del tipo de "no vivas", "no pienses", etc. El caso de Violeta, en el capítulo 8, es un ejemplo de guion hamártico. Más adelante veremos cómo identificarlos y cómo se puede hacer consciente la persona que está viviendo un guion de esta clase.

Los guiones hamárticos atraen fácilmente nuestra atención, particularmente cuando el final trágico es alcanzado. En muchos de ellos, la programación, es decir, el hecho de ver cómo la persona se acerca predeterminadamente a su final, es intuida, cuando no vista claramente por las personas cercanas a ella. El guion "se ve" con toda su fuerza.

Pero hay otro tipo de guiones, de gentes que pasan desapercibidas, que están igual de fuertemente implantados; son los *guiones banales*, que son los de la gran mayoría de la gente. En estos guiones, que producen vidas grises, banales, el lema es no sacar los pies del plato, y parece que hay un peligro implícito en desarrollar todas las potencialidades; por otro lado, la sociedad empuja para favorecer los guiones banales, lo que da una cierta sensación de seguridad y bienestar a las personas que los siguen.

Están programados en una gran medida de acuerdo al sexo de la persona, y es muy lógico que sea así, porque los roles sexuales (lo que la cultura dice que tiene que pensar, hacer, sentir y aparentar una persona según sea hombre o mujer) son ni más ni menos modelos de guion *pret-a-porter* cuya función principal es limitar: "todas estas cosas no puedes hacerlas, ni sentirlas, ni pensarlas, ni parecerlas".

Es lógico que cuanto más se parezca nuestro guion al prototipo social, más banal sea, y se mueva nuestra vida dentro de unos cauces predeterminados sin mucha pena y sin mucha gloria.

Han sido estudiados y definidos algunos de los más frecuentes guiones banales masculinos y femeninos (Steiner y Wyckoff, 1974), tales como los de La Madre de Familia por Antonomasia, La Mujer de Plástico, Pobrecita de Mí, La Belleza Insinuante, o El Gran Papá, El Hombre Delante de la Mujer, El Playboy, El Hombre que Aborrece a las Mujeres, etc. Como se ve por los nombres, todos ellos son guiones programados a partir de algún rasgo del prototipo del papel del hombre y de la mujer y llevan a la persona a una vida banal limitada por el estrecho margen que deja asumir como norte de la vida un papel de esas características.

En muchos casos la gente con guiones banales no los vive como especialmente problemáticos; por un lado, está la cierta seguridad y bienestar que da el actuar de acuerdo a lo que la sociedad dice que es bueno para uno, y por otro, el hecho de que el propio guion banal coarta la amplitud de miras y la persona no se imagina que realmente pudiera vivir de otra manera. Pero ocasionalmente, y en nuestra opinión esto es cada vez más frecuente, sucede algo que a algunas de estas personas les enfrenta, generalmente como un escopetazo en la cara, a lo banal, gris y limitado de sus vidas, caen en la tentación de soluciones radicales de huida y, frecuentemente, en la depresión.

Durante un año atendimos durante dos días a la semana una consulta en un Centro que tenía un programa de radio de divulgación psicológica. La gente que acudía a la consulta lo hacía tras escuchar el programa; básicamente eran mujeres casadas de clase media o media baja entre los treinta y cinco y los cincuenta y tantos años. La inmensa mayoría de ellas acudieron por la angustia, a veces la desesperación, que les producía el darse cuenta de estar viviendo o de haber estado viviendo un guion banal, generalmente La Madre de Familia por Antonomasia o La Mujer Detrás del Hombre. Algo que se repetía una y otra vez era que éstas mujeres no renegaban de sus papeles de madres o esposas sino de ser *sólo eso*. La sensación de haberse perdido como personas.

En el trabajo con ellas aparecieron muchos mensajes contra la alegría y contra el cuidarse de sí mismas, el atenderse.

Ni una sola de ellas tenía una verdadera afición (algo que le gustase a su Niño), muy pocas tenían amigas –no digamos amigos– íntimas, en todo caso algunas reuniones para charlar de temas como "Cesta de la Compra", "No sé si me sacará el curso", "Valle de lágrimas" (a estas interacciones se las conoce en el AT como Pasatiempos), etc.; las relaciones con sus maridos, incluso queriéndose, eran estereotipadas.

Una de ellas, con los hijos mayores pero todavía en casa, describía con esta agudeza su situación: "a veces me siento como una actriz a la que se le ha acabado el papel, pero la función sigue y se tiene que quedar ahí, sin saber qué decir". Es decir, los guiones banales están tan fuertemente programados como los hamárticos.

Sigamos adelante con otra división de los guiones atendiendo al tiempo del guion. Esta división de los guiones también fue propuesta por Berne, y parte de la observación que muchos de los contenidos de los guiones –lo que el guion pide que pase o no pase– aparecen y suceden de modo diferente en el tiempo de la vida de las personas (el guion dice lo que hacer con el tiempo que dura la vida). Así, definió seis tipos de guiones de acuerdo a su estructura temporal, que relacionó con personajes de la mitología griega (Berne pensaba, con razón, que los griegos eran especialmente sensibles a la idea del guion de vida):

1) Guiones *nunca*.– Los mandatos de la persona le impiden alcanzar aquello que le permitiría sentirse bien, aquello que busca. Como Tántalo, encadenado mientras a su alrededor

estaban los alimentos y el agua que deseaba y que no podía alcanzar, la persona con un guion nunca siente que nunca tendrá aquello que desea y que está aparentemente al alcance de los demás. Por ejemplo, las personas con un mandato de "no pertenezcas" que viven un guion de soledad, en terapia frecuentemente dicen que ven a su alrededor a la gente con amigos y parejas, y lo explican como algo prohibido para ellas.

2) Guiones *siempre*.– Estas personas dan la impresión de vivir una maldición que les mantiene haciendo aquello que les perjudica o les produce infelicidad (en realidad, todos los mandatos que provocan guiones nocivos llevan implícita, como ya se ha dicho, una maldición que es la fuerza que los mantiene), el mandato es "ya que te atreviste a hacerlo, hazlo siempre (beber, engañar, pelear, etc.)". El mito es Aracne que fue condenada a ser una araña: tejiendo siempre, por atreverse a enfrentarse a una diosa.

3) Guiones *hasta que*.– Las personas se sienten obligadas a hacer algo, a vivir algún tipo de vida, frecuentemente penosa, porque sienten que *hasta que* no lo hagan no podrán ser felices, triunfar, etc. En los guiones hamárticos "hasta que", se fracasa, incluso se muere, en el intento de cumplir; en los guiones banales "hasta que", cuando consiguen el "premio", éste es decepcionante. El héroe mítico es Hércules, que sólo fue un dios después de realizar doce penosos trabajos.

4) Guiones *después de*.– Estos guiones amenazan con algo después de que pase un tiempo o suceda algo. Nosotros los hemos visto particularmente fuertes en jóvenes referidos a dos temas: "después de comprometerme con una pareja deberé renunciar a muchas cosas" y "después de que consiga lo que

quiero –triunfe– tendré demasiadas responsabilidades (o me aburriré, o ya no tendrá sentido la vida)". Responden a mandatos que sólo funcionan después de un cierto momento de la vida o de que pase algo; por ejemplo, mandatos que afecten al sexo, al matrimonio, a la paternidad, a la vejez, etc. El personaje mítico es Damocles, que fue feliz en su reinado hasta que se percató que había una espada suspendida por un delgado hilo sobre su cabeza.

5) Guiones *una y otra vez*.– Cuando estas personas explican su vida, dicen con mucha frecuencia: "casi...", "estuve a punto...", aparentemente se esfuerzan mucho por salir del contenido negativo de su guion, pero una y otra vez fallan, sucede algo que echa por tierra sus proyectos; como Sisifo, que cada vez que estaba a punto de llevar la roca a la cima del monte, se le caía y tenía que volver a empezar.

6) Guiones de *final abierto*.– El guion termina antes de que la persona muera, no proporciona más programación; son básicamente guiones banales y muchos hombres jubilados y mujeres cuyos hijos ya han salido de casa se encuentran en esta situación. Muchas de las mujeres de las que hemos hablado un poco más arriba tenían un tipo de guion banal de final abierto. Los personajes míticos son Filemón y Baucis que en recompensa por su bondad fueron convertidos en árboles al final de sus vidas, y a vegetar.

En la práctica esta estructuración temporal puede aparecer entremezclada; por ejemplo, alguien puede fracasar *una y otra vez* porque teme que *después de* triunfar, *nunca* más será libre. Si se olvida esto, sobre todo al principio de entrar en contacto con la teoría de los guiones, se puede ir etiquetando guiones como quien etiqueta melones, confundiendo un rasgo del guion con el guion entero. Un buen criterio es escuchar las palabras con que la personas hablan de su vida: nunca... siempre... casi... hasta... después de..., porque suelen describir la estructura de sus propios guiones con gran exactitud (en los guiones de final abierto las personas hablan como si nunca fuera a ocurrir; o dicen que nunca han pensado en eso, y es cierto).

Otra división de los guiones, de mucha utilidad práctica, es la que propone Steiner. Los divide atendiendo a aquello que prohíben a la persona. Las tres prohibiciones básicas que los guiones hacen a las personas son sobre el amor, el pensar y el disfrutar. Así, tenemos tres guiones de vida básicos: el de No Amor, el de No Mente y el de No Gozo.

El guion de No Amor se gesta cuando el niño crece en un entorno donde las caricias, que es la unidad humana de transmisión de efecto, son consideradas como el agua en los desiertos; un bien escaso que hay que economizar, y éstas no sólo llegan cicateramente al niño sino que no se le enseña como obtenerlas. El resultado es la desvalorización afectiva de la persona que produce el mito de que uno no es digno de ser querido, que no es capaz de amar, o ambas cosas.

Esta escasez crónica de caricias, este hambre de caricias, da lugar al guion de No Amor; en la cabeza de la persona resuenan mensajes que impiden dar, pedir o aceptar caricias (a estos mensajes, Steiner los denominó Leyes de la Economía de la Caricia). El guion de No Amor, según el grado de intensidad con que esté implantado, lleva a un grado mayor o menor de depresión.

El guion de No Mente oscila entre el temor a volverse loco y la sensación desagradable de que uno no es capaz de entender y controlar aspectos de la propia vida.

En la base de este guion están los mensajes desvalorizadores de la capacidad de pensar, de entender el mundo, del niño. El Adulto de la persona está desvalorizado. Por ejemplo, don Perfecto Cabezón está con su hijo viendo la televisión y aparece una manifestación y critica la violencia de la policía o de los manifestantes o de ambos; el niño entiende "pegar es malo" y se acuerda de cuando el padre le zurró a él por no terminar la merienda. Le pregunta a su padre: "Entonces, ¿tú eres malo cuando me pegas?". Don Perfecto Cabezón se vuelve y desde su tamaño, tres veces mayor que el de su hijo, le dice: "Tú eres tonto, ¿es que no ves que es diferente?". Casi todos los niños del mundo en este momento se callarían, pero no verían en qué es diferente. Un entorno familiar abundante en mensajes de este tipo crea el mito en la persona de que no sabe pensar y se gesta un guion de No Mente que va desde la locura hasta la indecisión o inhibición.

En el guion de No Gozo, las prohibiciones inciden en el conocimiento y en el disfrute del propio cuerpo. La idea de que hay algo malo en torno a aquello que hace disfrutar la refleja la frase popular que dice que estas cosas "o engordan o son pecado".

La persona se convierte en una persona-cabeza, del cuello para abajo hay un alejamiento. Para Steiner, este guion está en la base de la drogadicción: las personas utilizan las drogas para hacer esta conexión; el alcohol, la heroína, el café, los cigarrillos, etc., hacen experimentar sensaciones físicas y tienden el puente momentáneamente entre la cabeza y el resto del cuerpo. Los heroinómanos que nosotros hemos tratado confirman esta idea; cuando no tienen la heroína dentro "pierden" el cuerpo (aunque creemos que hay más factores que atender en la drogadicción además del guion de No Gozo, como la deprivación de caricias, etc.). De un modo menos grave que la drogadicción, el guion de No Gozo aleja a las personas de las sensaciones de su cuerpo, tanto las buenas como las malas.

En un cierto número de personas altamente intelectualizadas, también hombres-cabeza, y en las que no hay indicios de drogadicción, hemos encontrado que muchas de sus intelectualizaciones, de la utilización de la cabeza para todo, van envueltas en un léxico que recuerda a las sensaciones físicas intensas: "Te recorre una corriente eléctrica leyendo a Kierkegaard".

De la explicación que hemos dado de estos tres tipos de guiones se ve que pueden ser banales o hamárticos. Todas las clasificaciones de guiones que hemos presentado en este capítulo son combinables, ninguna excluye a la otra. Por ejemplo, un guion banal es un guion de no triunfador, pudiera ser que fuera de No Amor y con una estructura temporal, por ejemplo, Una y Otra vez. Es obvio que hay muchas combinaciones posibles.

A la hora de manejar los diferentes tipos de guion hay que señalar que estas clasificaciones son útiles, pues permiten generalizar y agrupar el conocimiento que tenemos sobre los guiones, pero no hay que olvidar que, por otro lado, aunque pertenezca a algún tipo –es decir, aunque tenga rasgos comunes con los de otras personas– cada guion, como cada persona, es único y como algo único debe ser atendido.

12

VISITANDO EL CEMENTERIO

A lo largo de las páginas anteriores hemos hablado en varias ocasiones de programación refiriéndonos al guion. Pudiera pensarse que la teoría del guion postula un absoluto automatismo de las acciones humanas, y no es así.

Básicamente, los guiones dicen qué va a pasar o qué no va a pasar en aspectos relevantes de nuestra vida, de acuerdo a los mandatos que hemos recibido y aceptado. Si, por ejemplo, una persona recibió el mandato de "no estés cerca" pudiera ser que su guion le pidiera fracasar en los intentos de acercamiento de otras personas, pero también pudiera ser que directamente decidiera un guion de aislamiento, donde hasta los intentos están excluidos.

El guion proporciona a la persona la idea de cómo es ella y de qué tiene que hacer en la vida, en el sentido de las cosas que tienen que terminar pasándole.

Cuando el guion está construido a base de permisos, confianza y libertad de opciones (en un capítulo posterior discutiremos si algo así es un guion o es la libertad que proporciona no tener un guion), las posibilidades de actuación de la persona son amplias.

Cuando el guion contiene mandatos cuyo incumplimiento angustia y amenaza a la persona, la libertad queda restringida, hay que cumplir el mandato, pero la manera de hacerlo puede no estar en el guion. Si imaginamos una persona con un guion que diga "tú eres un chico malo, engañarás a la gente y acabarás mal", guion que realmente no es muy difícil de imaginar, tanto se puede cumplir desde el más alto despacho de un banco, arruinando inversionistas y siendo perseguido por la ley, como jugando con cartas marcadas en un siniestro tugurio y recibiendo un navajazo; también se puede cumplir metiéndose en política, creando una secta, inventando un sistema infalible para ganar en el casino, etc.

De hecho, el guion actúa al estilo de lo que en gestión empresarial se conoce como dirección por objetivos: se da el objetivo, los medios, generalmente también el tiempo en que hay que lograrlo, y es problema de cada uno conseguirlo. Al igual que en las buenas historias de ficción, el desarrollo, lo que suceda entre medias, simplemente debe ser coherente con el protagonista (el mito que cada uno tenemos de nosotros mismos) y con el desenlace, en el sentido de resumen de una historia (lo que los mandatos dicen que tiene que terminar sucediendo).

Claro está, a medida que la persona ha recibido más mandatos y más estrictos y que abarcan más áreas de la vida, su vida se ajustará más exactamente a cumplirlos, pero básicamente el modo como lo haga no es esencial mayoría de los mandatos; las posibilidades que da la propia cultura, o subcultura, oportunidades o falta de ellas, la casualidad, etc., intervienen para que de un modo u otro se pueda cumplir con el mandato. Es cierto que si un niño recibe el mandato de "no pienses" y, además, su padre o su madre son bebedores, es muy probable que la manera de cumplir con el "no pienses" sea siendo un alcohólico; pero en sí mismo el modo como lo haga no es esencial al mandato (naturalmente, excepto en los asuntos en que determinado modo de hacer algo sea en sí mismo un mandato).

Por esto, es importante descubrir cuál es el lema del guion. En nuestra experiencia el lema del guion no requiere más de una o dos frases, no muy largas. Muchas personas hablan con suma facilidad del lema de su guion, pero incluso aunque el lema exprese vidas insatisfactorias da la impresión de que muchas de ellas no se lo creen (de hecho, como más adelante se verá, una parte de su Niño no se lo cree).

El lema del guion sería el auténtico epitafio que la persona merecería tener sobre la tumba si no pudo salirse o redecidir su guion. Si los epitafios fueran así, el verdadero resumen de la vida de la persona, el cementerio sería el lugar más instructivo de la tierra. Y aún lo sería más si uno pudiera anticipadamente ver el propio epitafio sobre la propia tumba; si reflejase un guion de fracaso, una vida banal, o la amargura de la vida desperdiciada, entonces quizá *creeríamos realmente* que va a pasar aquello que clara u ocultamente intuimos.

A riesgo de ser considerados unos tipos macabros, y de remover la angustia de mucha gente, los terapeutas que trabajamos con guiones de vida llevamos a las personas a ver su tumba y, sobre ella, el epitafio para el que están haciendo méritos.

A pesar de que, como hemos señalado, la gente habla de sus lemas con cierta facilidad, cuando dentro del proceso de terapia se les pide que hagan esto, escribir el epitafio que creen que tendrán si fuera el que se merecen, surgen los problemas, los bloqueos, las frases neutras (R.I.P.) o encubridoras.

A nadie se le fuerza, pero se procura que entiendan muy bien de qué se trata y se añade que en cualquier momento de esa sesión o de cualquier otra tienen derecho a levantarse Y escribirlo (cuando este tema se toca en grupo, en la pared hay una pizarra o un papel grande clavado, el cementerio, donde figuran la lápida de cada uno; no hay limitación para el tiempo o el número de veces que una persona cambie su epitafio; un objetivo de la terapia es que la persona termine con un epitafio satisfactorio). Así, una persona, un joven alcohólico, puede pasa de "No lloréis por mí, imbéciles" a "No hizo nada", lo que supone permitirse un cambio en el tono con que percibe a sí mismo y a su vida y abre las puertas para trabajar en su guion.

"No supe llegar a dar todo lo que podía", "Siempre estuvo de acuerdo", "Tuvo de todo menos amor", "Todos me quisieron, pero nadie me amó", son epitafios que, trabajando sobre ellos, enfrentan a la persona a su guion; les permiten verlo conscientemente por primera vez, aunque muchos digan que siempre lo tuvieron por la cabeza; la muy frecuente carga emocional con que va acompañado el hablar del propio epitafio, indica que no es igual tener cosas "por la cabeza" que saberlas, conocerlas. Esto es, hacer uno consciente una parte del guion.

Los epitafios siempre son relevantes, dado que es la frase con la que en un momento determinado alguien resume lo que ha sido y lo que intuye que será su vida; unos son más claros:

"Quiso salir del mogollón y no pudo", "Por ser quien fue, no fue quien quiso ser"; otros, más crípticos: "?", "Le hicieron demasiado caso"; algunos tienen un evidente tono parental: "Cumplió con todos", "Fue un buen chico", "Pasó sin molestar"; los guiones hamárticos aparecen, en la primera versión del epitafio que hace la persona, frecuentemente escritos por un Niño desafiante –"¡Vivió poco pero a tope!" (de un heroinómano), "Os engañé a todos, ja, ja"– que suelen reflejar una actitud similar captada en los padres que transmitieron los mandatos destructivos.

De cualquier modo, la visita al cementerio es un paso importante en el análisis de los guiones de vida. Cualquiera que desee cambiar un guion poco satisfactorio tiene que pasar por enfrentar su verdadero significado: la vida que le depara.

Para ayudar a la persona a ver esto, un trabajo útil sobre los epitafios consiste en preguntar y profundizar en la manera en que ahora la persona está viviendo (actuando, pensando, sintiendo) para conseguir ese epitafio. Paradójicamente, visitar el cementerio es un modo efectivo de conectar con la vida. Pero, por el momento, abandonémoslo.

13

SOBRE LA FUNCIÓN Y NECESIDAD DE LOS GUIONES

l) Sobre la función

A lo largo de las páginas anteriores ya se ha hablado, a propósito de determinados aspectos o segmentos del guion, de su función y de su necesidad. Vamos ahora a precisar algo más estas cuestiones. Para ello comenzamos por una historia (es real, le sucedió a un conocido mío, que se corta por muy pocas cosas en esta vida).

La historia le sucede a un joven, aventurero y atrevido, llamado, por ejemplo, Bombadil. Ha viajado de España a Tailandia, y se dedica a recorrer los caminos en bicicleta. En uno de sus paseos por uno de estos caminos le salen al paso unos niños que, sonrientes, le tiran de la manga invitándole a seguirlos. Bombadil lo hace y llegan a un pueblecito. Todos salen a ver al visitante, que exhibe, prudentemente, una sonrisa como la del gato de Cheshire; en seguida, se organiza una fiesta o ceremonia de recepción en la que Bombadil es invitado a sentarse junto a quienes parecen ser los notables del lugar. El que parece ser el jefe del pueblo, pelado al cero o calvo y siempre sonriente, coge un pote, que Bombadil ve que está lleno de una pasta blancuzca, y mete su mano en él, hace una pelotilla y la pone en la boca con sus propios dedos de la persona que tiene más cerca. Cuando llega a donde está Bombadil hace una pelotilla algo más grande, seguramente por deferencia al invitado, y se la acerca a la boca. Bombadil piensa que qué asco de pelotilla, pero ¿seguirán el calvo y los demás tan sonrientes si la escupo?, ¿será un sacrilegio o una ofensa grave si no me la como, y me harán picadillo? Bombadil abre la boca, deja que le pongan la pelotilla en la lengua, y traga la pelotilla con una sonrisa.

Esta es una función principal de los guiones: que el calvo siga sonriendo. Es decir, conseguir y mantener el amor de los padres; si el amor no está disponible, entonces una atención positiva, si ésta tampoco está disponible, entonces la atención negativa (regaños, golpes, malas caras) pero al menos su presencia. Obsérvese que una vez que la persona acepta el mensaje (en los peores casos: comerse una pelotilla asquerosa) por muy nocivo que sea, la angustia que lleva consigo el conflicto existencial cede; así aparece otra función básica del guion: eliminar la angustia (véase, sobre esta cuestión, el excelente trabajo de Casado, 1986). De hecho el eliminar la angustia y asegurar las caricias de los padres o cuidadores son dos caras de la misma moneda, no se puede obtener una sin la otra.

Así, la función del guion es proporcionar las reglas del club al que uno pertenece, con la particularidad de que en este tipo de clubs, la familia, es indispensable obtener el beneplácito o al menos la atención de los directores. Veamos algo más sobre la utilización de estas reglas.

En el club "El Ángulo Recto" las reglas están situadas bien visibles a la entrada. Una de ellas dice: "los señores socios *deberán* llevar el pelo corto y la barba y el bigote convenientemente recortados, bajo pena de apercibimiento". Esta es la regla explícita (el mensaje verbal de los "padres" del club), pero ¿cuál es la actitud? Cuando algún socio se descuida, hay miradas de desaprobación, se le hace sutilmente el vacío e incluso, si se considera excesivo, se le pasa una nota en privado advirtiéndoselo (todo esto es el mandato o requerimiento: "serás despreciado, apartado, nos avergonzaremos de ti"; como se ve es más duro que "apercibimiento").

El resultado es que los socios siguen la regla, sí, pero fundamentalmente el mandato, con su terrible pero nunca expresada amenaza. Pero uno de los socios, el señor Redondo, poco conocido y poco brillante *según las normas del club*, un día aparece con el pelo algo más largo que la norma y le miran mal (pero le miran), le hacen el vacío (pero se lo hacen a él) y puede que esa sea una manera más estimulante de estar en el club. Redondo persiste en su actitud hasta que la coleta le llega a la cintura; a estas alturas la atención del club está frecuentemente centrada en él y ya se le ha dicho varias veces lo que es él: "usted, Redondo, es un hippy", aunque él mismo puede haber llegado a la conclusión de que *en realidad* es un hippy (el mito), lo que puede darle la pista de hacerse un canutito de finas hierbas para ver qué pasa; se le han pronosticado grandes males (cómo termina el guion) y se le amenaza con la expulsión (a partir de una cierta edad la amenaza de expulsión de la familia es explícita, si bien presentada con algún adorno: "para que mamá deje de sufrir"; otras veces está disfrazada: internados, etc.).

Quizá a un socio o un director, que no son tipos malvados, se les ocurra que a Redondo tiene que verle un psicólogo.

Redondo, de buen grado o no, acepta, pero surge la sorpresa cuando el terapeuta pide ver también a los directores y a los socios más representativos porque Redondo tiene obviamente problemas, no es agradable vivir con esa tensión y quizá esté pensando ya en pasar de los canutos a algo más fuerte, pero quiere saber por qué se levantó tanto revuelo hace años por ese pelo un poco largo (de qué miedo del Niño defiende el mandato), preocupándose todos tanto de Redondo nadie se preocupaba de otras cosas, quizá alguno de los pelos pulcramente cortados esconda algún piojo.

Una de las cosas que la historia quiere señalar es que un determinado tipo de conducta que deviene en conflictiva para una persona (o para su entorno) puede no estar predeterminada concretamente por un mensaje que diga "haz eso"; un chico que suspenda mucho puede no haber recibido el mensaje "suspende" o "fracasa", sino, por ejemplo, la atribución "tú eres diferente", y si los hermanos aprueban él *puede* descubrir que suspender es una forma de cumplir con el mensaje, como podría ser, en un determinado caso, ser homosexual, psicólogo, artista, deportista u otras cosas que den cumplimiento al "ser diferente" de su guion.

Siguiendo con el paralelismo entre el guion y las reglas de un club, veamos otro modo en qué se pueden combinar en un guion los distintos tipos de reglas (de mensajes):

En el club "El Cubo Esférico", las normas sobre el pelo son incluso más estrictas que las de "El Ángulo Recto": "El pelo de la cabeza no se montará en las orejas; el bigote no sobrepasará las comisuras de los labios y la barba dejará ver el nudo de la corbata" (los mensajes verbales, del Padre, el contraguion). Sin embargo, la actitud que los directores transmiten a los socios es "nos encanta la gente original y creativa" (un permiso del Niño). Si usted se pasa por este club, verá gente con el pelo corto y en el medio una floreciente cresta punk, pero no se le monta en las orejas; otros llevan un bigote que corre por el labio superior y escrupulosamente se detiene en las comisuras, para mandar en ángulo recto las guías hasta las cejas, al estilo Dalí; también los hay barbudos, mostrando orgullosos el nudo de la corbata entre dos mangas de barba que caen un palmo desde cada una de las mejillas.

El guion de muchas personas está construido así. Es el componente del Niño que se ha llamado, con no muy feliz expresión, el Pequeño Profesor (la astucia y creatividad intuitivas) que se encarga de cumplir los mensajes del Padre de manera satisfactoria para el Niño.

Esto ocurre cuando el Niño ha recibido básicamente permisos, es decir, cuando la persona ha crecido entre la aceptación, el cariño y el apoyo de sus padres, aun cuando éstos le hayan transmitido mensajes verbales restrictivos. Un participante en un grupo de terapia comentaba que su padre frecuentemente le transmitía ideas sobre el trabajo como valor por encima de todo, "pero yo le veía que a veces los ojillos le brillaban cuando hablaba de divertirse, y yo creo que él se divertía". Hay un mensaje de contraguion de "trabaja duro" y un permiso en el guion "vale, pero también está bien divertirse". Al Pequeño Profesor no le es muy complicado dar salida a ambos.

Cuando en vez de mensajes hay mandatos y requerimientos destructivos, aunque los mensajes del contraguion sean positivos prevalecerán aquéllos, a veces, como en el ejemplo del club, con la apariencia formal de que se cumplen los mensajes del contraguion. Por ejemplo, mandatos de "no te acerques" y un contraguion con mensajes que empujen al triunfo social, pueden dar lugar a un guion en el que la persona llega socialmente a la cumbre para verse rodeado de empleados, admiradores, aduladores, pero ningún amigo, nadie con quien "estar cerca".

Tras haber hecho estas precisiones sobre el guion considerado como un conjunto de reglas con las que orientarse en el club, primero en el que venimos al mundo, la familia, y más tarde en todo nuestro entorno, volvemos al tema de la función del guion.

Hemos comentado ya la función del guion de evitar la angustia, asegurar, al menos, una atención mínima de los padres, y proporcionar un conjunto de reglas, un mapa con el que orientarse en la familia. Se ve que son distintos puntos de observación desde los que definir la misma realidad.

En el mismo sentido, el guion tiene más funciones. Una importantísima es decirle a la persona quién es él y quiénes son los otros. Básicamente es el primer marco psicológico que se le da al niño: la posición existencial, ya hemos hablado de ella. Pero sobre ese primer marco, se va a dotar de contenido ese estar bien o mal de la persona. Importantes mensajes que conforman el guion son transmitidos en forma de atribuciones: se le dice al niño, más que lo que tiene que hacer, lo que es; una vez aceptado que se es tonto, raro, ingenioso, indigno de vivir, una molestia, diferente, listo, etc., la propia persona se encarga de realizar aquellas conductas que corresponden a lo que cree que es. Las atribuciones son de una importancia capital: son omnipresentes, es decir, parece que no podemos vivir sin hacer atribuciones y se presentan con un tinte de objetividad, *como si* estuvieran describiendo la realidad de las personas, cuando, de hecho, son más bien *elecciones* del que atribuye. Cuando nació mi hija, en el mismo momento en que el médico que atendía el parto la cogía en sus manos, ante la observación de un determinado nivel de actividad de la niña, dijo: "esta niña está muy viva". Tres días después, un pediatra observó: "esta niña es muy nerviosa". Dos atribuciones, con muy diferentes implicaciones, sobre el mismo rango de conducta, "estar muy viva" o "ser muy nerviosa", casi antes de que sus padres eligieran su nombre (puedo asegurar, desde la más absoluta objetividad y desapasionamiento, que *es* una niña muy viva).

Dar respuesta a la pregunta, ¿quién soy yo? es una función fundamental del guion (de hecho todo guion parte de un personaje al que sucederle los eventos que aquél prepara), si el niño se ve obligado a dar respuesta a esa pregunta antes de que razonablemente tenga los datos para hacerlo, por muy limitadora y nociva que sea la respuesta, lo hará.

En cierta ocasión una señora llamó para pedir que se atendiera a su hijo de siete años, por teléfono comunicó los temores de que su hijo fuera homosexual. Un homosexual de siete años. En la entrevista con la madre, quedó claro que rechazó al hijo desde su nacimiento, lo dijo como parte de una aseveración que, desde su punto de vista, no tenía vuelta de hoja: "me dio un disgusto que fuera chico, porque los hombres son muy brutos", es decir, uno de los puntos de su guion decía: "los hombres están mal, son unos brutos". El chico tenía, además, una hermana un año y medio mayor y otra un año menor. Emparedado entre dos personas que "están bien".

El chico había captado con toda claridad el mensaje de la madre –el padre, por su trabajo y, como más tarde se vio, por rehuir a la mujer, estaba lo menos posible en casa, y era una figura lejana para el hijo– y, simplemente se dedicaba a hacer lo que las personas que están bien hacían: pedir muñecas para jugar, coger los vestidos de las hermanas, pedirles que le pusieran lazos, etc., con lo que la madre es presa del pánico creyendo que es homosexual. Obsérvese que así no le deja ninguna opción al chico, siempre estará mal, pues las dos alternativas *que le deja* la madre, bajo su punto de vista, son de estar mal: o bruto u homosexual. Se podría decir que la madre deja libertad al niño para que elija el modo de estar mal, pero no le deja opción para que esté bien.

Sin la intervención terapéutica (que, lógicamente, fue sobre las fantasías y miedos de la madre y sobre la intervención del padre con el niño), el niño seguramente hubiera seguido en un guion donde todo sería coherente con que él está mal.

Por lo tanto, para resumir, tenemos que el guion tiene las siguientes funciones:

a) Evitar la angustia.

b) Obtener la atención y el cuidado de los padres.

c) Dar las reglas con las que moverse, primero en la familia y más tarde en el mundo.

d) Decir quién es la persona, y si está bien o mal.

e) Decir quiénes son los otros, y si están bien o mal (la gente, los hombres, las mujeres, etc.).

Con todo lo anterior, programar la actividad; es decir, saber qué tiene que hacerse, qué puede hacerse, qué no tiene que hacerse y qué puede no hacerse.

Por nocivos y destructivas que puedan ser los contenidos de estos puntos, si el niño los necesita, lo hará del modo que tenga disponible y con los datos, escasos y parciales que pueda manejar. Ahora bien, ¿es siempre necesario que lo haga?

2) Sobre la necesidad

La evidencia con que contamos parece indicar que a las personas nos es necesario dar respuesta a los puntos que acabamos de señalar. Pero la cuestión es el grado de la necesidad y el momento en que surge. En un ambiente de amor, aceptación y protección, el conflicto existencial del niño será menor, no tendrá que decidir urgentemente quién es o qué hacer si los padres le transmiten que sus caricias están aseguradas. No es lo mismo tener que decidir quién es uno mismo (algún aspecto de ello) a los tres años que en la adolescencia.

Una cuestión que se plantea frecuentemente es: cuando una persona es criada en estas condiciones de amor, aceptación y protección, por unos padres cuyo Niño no tiene nada que temer, ni ninguna maldición que pasar, el hijo ¿estructura un guion "bueno" o, simplemente, no tiene guion y es libre de decidir en cada momento? Una persona que tiene permiso para amar, para disfrutar y para pensar, ¿está en un guion?

La respuesta a estas cuestiones depende, por un lado, de cómo se defina el guion. Si se define como algo que limita, coarta y priva de libertad al individuo, la respuesta será que no hay guiones "buenos". Y ésta es una aseveración lógica. Sin embargo, debo decir que en mi experiencia tanto personal como profesional no he encontrado una persona que, por decirlo así, no esté *en absoluto* en un guion.

La diferencia real parece estar entre personas estrecha y opresivamente marcadas por un guion que inexorablemente cumplen su plan de vida predeterminado y, con los correspondientes grados intermedios, personas con algún aspecto de su mito o de su actividad bajo un guion, pero con márgenes muy amplios de actuación. Estas segundas personas han incorporado desde el primer momento un marco psicológico de seguridad en su propio ser y han podido posponer –o revisar con facilidad– las decisiones sobre aspectos importantes de su vida a épocas en las que contaban con los suficientes datos para tomar una decisión positiva para ellos; de sus padres han recibido fundamentalmente permisos. Mientras que las personas fuertemente apresadas en guiones destructivos o de infelicidad, tuvieron que decidir perentoriamente en épocas muy tempranas sobre los mandatos, requerimientos y atribuciones que recibían de sus padres.

En definitiva, aunque es posible imaginar como ideal una persona que no sigue ningún guion, en el momento actual de la humanidad es más realista hablar de personas con guiones poco estrictos y con un buen saco de permisos y de personas estrictamente en un guion que se ajustan inexorablemente (a menos que decidan cambiarlo) a un plan de vida predeterminado. Por otro lado, podríamos decir que el guion se incorpora cuando fracasa la tentativa de ser uno mismo o cuando el ambiente, generalmente los padres, impide descubrir quién es uno mismo, entonces surge la angustia y el guion, como hemos visto, viene a conjurarla a costa de dar a la persona un papel que no es el suyo, su yo real. En el sentido en que hay personas a las que se les ha permitido básicamente, ser ellas mismas, se podría decir que, en términos cualitativos, hay personas fuera de los guiones.

Aún hay otro aspecto que contemplar sobre el tema de la necesidad de los guiones. Si una persona, un niño, no puede ser ella misma, capta que es rechazada y que, por lo tanto, tiene, como hemos visto, amenazada su supervivencia si no da algún tipo de respuesta, si no acepta lo que se pide de ella, esta persona ¿incorporará necesariamente un guion para solventar el conflicto?

A lo largo de todo el texto hemos sostenido que sí, y en las condiciones "normales" que hemos descrito así será.

Pero nosotros queremos plantear aquí la hipótesis de una excepción, de una importante excepción. Hay personas que no se les permite ser ellas mismas, pero fracasan en incorporar un papel coherente que dé una respuesta unívoca a la pregunta ¿quién soy yo?, por lo tanto difícilmente pueden planear una actividad coherente con un papel (un mito) determinado. Algunas de estas personas son diagnosticadas de esquizofrénicas. Veamos el relato que Aaron Esterson, uno de los autores más relevantes de la antipsiquiatría inglesa, hace de Sarah, una joven hospitalizada como esquizofrénica:

"La identidad que le era atribuida por los otros no era sostenible. Si lo hubiese sido pienso que la habría adoptado, hubiera estado tentada de adoptarla. Puedo equivocarme, pero pienso que en este sentido se la podría comparar a muchas personas que han sido tentadas para adoptar una falsa identidad y viven con esta falsa identidad, sin ni siquiera tener conocimiento de su falsedad, porque se trata de un rol social sostenible. En cierto sentido se han perdido completamente en su apariencia, pero socialmente parecen en su lugar. Están completamente perdidas en su rol social, pero pueden vivir ese rol, porque el rol tiene una cierta coherencia interna. Pero el rol que le fue atribuido a Sarah no era coherente, era demasiado contradictorio" (Esterson, 1975, p. 235.)

Si se da el paso del rol, como parte de un guion, al guion completo, parece que lo que se está diciendo es que a Sarah no se le permitió ser libre, pero tampoco pudo tener un guion porque se le atribuyó un rol insostenible, contradictorio. "Ni puedo ser yo, ni es posible ser como queréis".

Un dato en apoyo de la hipótesis de esta consecuencia del fracaso en incorporar un guion, puede estar en los mensajes que se ha propuesto como existentes en las familias de esquizofrénicos. Mientras que en los mensajes de que hemos hablado hasta ahora, el niño podía descifrar el sentido del mensaje, y por muy penoso que fuera responder ("sé tal cosa", "haz o no hagas tal cosa"), el tipo de mensaje que frecuentemente recibe un futuro esquizofrénico tiene para el niño un significado imposible de decidir, es un mensaje *doble y contradictorio*, que de modo simplificado se puede ejemplificar en la madre que regaña al hijo por gordito mientras le pone delante un plato rebosante o el padre que dice al hijo "te quiero" mientras le retuerce la muñeca. El sentido del mensaje es imposible de determinar, y cuando es mantenido mucho tiempo, y se impide descubrir la contradicción el niño queda atrapado en lo que se conoce como *doble vínculo*. El resultado, como en el caso de Sarah, es una identidad insostenible, y los guiones precisamente proporcionan una identidad, que puede ser penosa pero es sostenible.

De todos modos, la consideración de la esquizofrenia, o de algún tipo alteración mental diagnosticada como esquizofrenia, como el fracaso en incorporar un guion o bien como el resultado de un tipo específico de guion –Steiner parece que se inclina por considerarla un guion No mente hamártico (Steiner, 1974)–, debe ser mantenida expresamente en el plano de la especulación para no caer en la fatuidad, que es la enfermedad profesional de nosotros los psicólogos.

14

ILUSIONES, FALACIAS Y FANTASÍAS

Si la luna tuviera mango ¡oh, qué abanico!

Proverbio chino

Cuando asistimos como espectadores a la representación teatral de una tragedia y vemos cómo el protagonista se va acercando al desenlace que le espera, uno de los principales elementos dramáticos que nos afectan, en cuanto que espectadores, es la ignorancia que el protagonista tiene de que se acerca al final, e incluso la ilusión que tiene de que evitará el final. Así, en la vida real muchas personas son ciegas para el desenlace que les deparan sus guiones. Y no porque no se den cuenta de que determinados hechos o situaciones dolorosos o de fracaso se repiten en sus vidas, ni tampoco, como hemos visto en la visita al cementerio, porque no intuyan el final, o incluso lo vean claramente, sino porque no lo atribuyen a un guion, a una programación que ellos mismos están siguiendo.

La ilusión de libertad, es decir, la ilusión de que en cada momento es el Adulto de la persona quien decide, analizando el aquí y el ahora, teniendo en cuenta la experiencia, y avanzando las consecuencias de elegir una opción u otra, está presente en la mayoría de los guiones y es uno de los factores que lo mantienen, pues una persona no se planteará abandonar algo que no cree que tiene.

Una de las tres razones por las que una persona va a terapia es porque se ve en un guion y no le gusta el final, sienta y exprese esto de la manera que sea, y pide ayuda para salirse de él. (Las otras dos razones por las que se acude a terapia son: 1) el sufrimiento o malestar que produce el guion es intenso y la persona pide ayuda para disminuirlo o sobrellevarlo sin gran quebranto: pide ser una rana cómoda, no convertirse en un príncipe, y 2) su guion le pide ir a terapia para comprobar que nada ni nadie puede hacer nada por ella. Está claro que es muy importante entender y confrontar con la persona el motivo real que la llevó a terapia.)

La ilusión de libertad es el terciopelo que oculta las cadenas del guion. De un modo práctico, la persona realiza atribuciones externas a los fracasos, limitaciones y sucesos dolorosos ligados a su guion: mala suerte, quién iba a pensar que..., me engañó, al principio él (ella) me pareció tan razonable..., siempre me tocan los jefes más tiranos y, claro, no queda más remedio que mentarles la madre..., en realidad podría dejar de beber si quisiera pero...

La ilusión de libertad defiende de la desesperación y la depresión que pueden surgir al verse presa de un guion; de hecho, la manera de enfrentar esta ilusión no es a martillazos, sino por medio de una confrontación cálida, transmitiendo a la persona tanto la firmeza como el apoyo (sea como sea, no es una Víctima y no necesita Perseguidores ni Salvadores, necesita ayuda en un marco de cooperación). La fuerza con que se sostiene la ilusión de libertad, las atribuciones a algo externo y las racionalizaciones, son muy fuertes, muchas veces también son muy hábiles y, por lo tanto, difíciles de vencer. Hay que transmitir a la persona que tiene la posibilidad de ser libre pero que, de hecho, no lo está siendo.

Más que combatir una por una sus argumentaciones, la postura más útil parece ser aquella de "no sé si es un león, pero anda como un león, ruge como un león, huele como un león y ya le ha devorado media pierna; quizá debiera usted empezar a pensar que es un león" (sustitúyase guion por león allí donde convenga).

La falacia básica del guion es la creencia del Niño de que él estará bien si sigue las directrices del guion: "Yo estoy bien si (cumplo con los mandatos)". De hecho, esta falacia, esta mentira, fue cierta en algún momento de su vida: cuando siguió por primera vez los mandatos de sus padres, disminuyó su angustia, encontró alguna respuesta y obtuvo algunas caricias, luego en realidad, al menos comparativamente a como estaba antes, él estuvo bien por seguir los mandatos. Así, el Niño grabó que la manera de estar bien era seguir el guion. Ahora su Niño sigue sintiendo lo mismo y vuelve una y otra vez a intentar sentirse bien cumpliendo los mandatos (internamente, cuando lo hace, siente todavía la aquiescencia parental); si el mandato es "no pienses", él sigue cumpliéndolo, a pesar de que la evidencia a su alrededor sea de fracaso, inutilidad o dolor, esta evidencia no llega a su Niño, para el que la solución de supervivencia fue, por ejemplo, no pensar.

Combatir esta falacia es tanto como combatir su reverso, la catástrofe que sucederá si no se cumple el mandato. Igualmente, la amenaza de esta catástrofe fue real en una época temprana de su vida: pudo ser muerto, abandonado, ignorado, despreciado o cualquier acto catastrófico para el niño que puedan realizar con él sus padres.

Cuando esta amenaza ha desaparecido y la persona realmente puede valerse por sí misma, defenderse, dar y obtener amor, caricias, conseguir logros, etc., la antigua amenaza permanece en el Niño como una *auténtica maldición* y la persona actúa como si no tuviera esas cualidades y poderes. La palabra maldición es exacta; cuando la terapia se llega a este punto la persona puede expresar cosas como, por ejemplo, que no deja, o replantea, una relación penosa para ella porque siente que "me quedaré solo y nadie me querrá". Una frase como "te quedarás solo y nadie te querrá" es una maldición del tipo de las que realizan las brujas y los ogros; adviértase que el niño tiene un pensamiento mágico y que, en realidad, vive entre magos, gente enorme, que lo sabe todo, que puede hacer aparecer y desaparecer la comida a voluntad, que tiene poder sobre la luz, el calor y, sobre todo, sobre su vida (quizá usted haya tenido la desagradable experiencia de observar la expresión de terror en la cara de un niño cuando un adulto fuera de sí le coge por los hombros y le grita a la cara).

En el otro lado están las personas con guiones basados en permisos (o, si se quiere, básicamente fuera de guion); la evidencia que se tiene es que en lugar de la maldición tienen protecciones, del estilo de las que en los cuentos proporcionan las hadas madrinas y los buenos gigantes: "piensa y podrás resolverlo", "adelante", "aprieta los dientes y hazlo". Alguien fuera de él, los padres, confió en él y le protegió, ahora llevan esa confianza y protección dentro de ellos, resonando cuando la necesitan. En terapia, para romper la maldición, la persona –el Niño de la persona– necesita durante un tiempo básicamente confianza y protección; es labor del terapeuta proporcionarlos desde fuera hasta que él lo sienta internamente.

La fantasía principal en un guion es la llamada *fantasía de Papá Noel*. Esta fantasía consiste en la esperanza –sustentada por el Niño de la persona– que se puede expresar como que Papá Noel vendrá y traerá algo que hará que el final del guion no se cumpla y todo vaya estupendamente. Algo pasará, la buena suerte, la lotería, una mujer fascinante, le miraré, me mirará y él comprenderá que mi corazón es de oro. Obviamente la fantasía de Papá Noel es esencialmente distinta de la genuina esperanza. Esta responde más bien al modelo del refrán "a Dios rogando y con el mazo dando" y aquélla se asemeja en su expresión al cuento de la lechera (Berne decía que los triunfadores piensan qué harán si las cosas van mal y los perdedores hablan de lo que harán cuando las cosas vayan bien). Veamos algún ejemplo real de la fantasía de Papá Noel.

Grumble es una muchacha que ha acudido a terapia porque se siente aislada de los demás, la tachan de gruñona, de mal genio, actitudes éstas que ella reconoce como ciertas y que siente que "no puedo evitarlas, me sale". Cree que terminará "mal, porque me dejará la gente". Uno de sus personajes fa-

EL GUION DE VIDA

voritos cuando era niña era el Señor Scrooge, al que describe como "malo, pero al final le pasan cosas estupendas y se le arregla todo de la noche a la mañana y se vuele bueno...". Sólo con estas pocas gotas de información que acabo de presentar, ya es evidente que hay varias cosas que ver en el guion de Grumble, pero una de ellas, importante, es ver si su Niño en realidad está esperando que pase algo "de la noche a la mañana" que le haga "buena" y entonces "todo se arregle", porque si es así, hasta que no renuncie a su fantasía no se pondrá de veras a trabajar sobre su guion.

El señor Alone ve en la terapia que siempre ha pensado que terminaría solo viviendo apartado en una casa y considerado como algo excéntrico y taciturno. Tanto al terapeuta como al señor Alone les parece claro el final de un guion de soledad, y que la tarea es trabajar para cambiarlo. Pero el Niño del terapeuta sentido una especie de fascinación cuando el señor Alone hablaba del final trágico de su guion, más que el miedo y la amargura de la soledad. De hecho, profundizando algo más en ese final, consistía en un hombre maduro, solo, interesante, con duras experiencias en su pasado que le hacían estar de vuelta y que despertaba la atención del vecindario. De eso, al encuentro con una mujer que apreciara todo eso no había más que un paso, que en realidad el Niño del señor Alone había dado desde siempre. Como se ve, en este caso un final trágico de soledad queda fuera de la percepción de la persona porque la fantasía de Papá Noel lo convierte en un final apetecible. Sin el abandono de esa fantasía la persona no tiene la motivación suficiente para realizar el trabajo, a veces muy duro, de abandonar su guion.

No es agradable mostrar a los niños (a los Niños) que Papá Noel no viene espontáneamente. Se le puede traer agarrándole por el cuello, pero hay que ir a buscarle. Sin embargo, mientras el Niño crea en Papá Noel no se planteará seriamente el abandono del guion.

PARTE IV
LA PERCEPCIÓN Y LOS DEMÁS

15

LAS GAFAS DEL GUION

El joven, llamémosle Johnny B. Goode, está en los muy serios e impresionantes edificios del laboratorio de interacción de la Universidad de Yale. Ha respondido a un anuncio en el que se pedían sujetos para experimentos psicológicos. Un científico de bata blanca, amable pero severo, informa a Johnny de que se va a estudiar las reacciones de los psicópatas, "ya sabe, esa gente de reacciones peligrosas". Se le dice que simplemente tiene que entrar en una habitación y sentarse en una silla; en el extremo más alejado de la habitación hay otra silla y un hombre sentado en ella, "el psicópata al que se va a estudiar". A Johnny se le asegura que no hay ningún peligro real, pues se les está vigilando por cámaras, y en caso de ser necesaria, la intervención será inmediata. Entra en la habitación y ve a un hombre, tenso, que le mira. Johnny se sienta en su silla, algo nervioso. Al cabo de un minuto el "psicópata" se levanta –en realidad, es un tipo normal que también respondió al anuncio, al que se le ha dicho que Johnny es el psicópata, y al que se le dio la consigna de levantarse, simplemente, al cabo de un rato–. Johnny, al ver levantarse al otro, da un respingo; el otro, al ver dar un respingo a Johnny, coge la silla por el respaldo, por si acaso; este acto, hace que Johnny se levante y grite llamando a los experimentadores; el otro, al ver fuera de sí a Johnny, grita a su vez pidiendo auxilio y quizá blande la silla sobre su cabeza. Los experimentadores entran y se llevan a cada uno por una puerta, sin que se comuniquen. Cada uno de ellos comenta a los experimentadores lo peligroso que era el otro tipo.

La conducta de Johnny y de su compañero es la conducta típica que exhibieron la mayoría de las personas con las que se repitió el experimento. Una vez aceptado que el otro es un psicópata (en este caso, porque una autoridad lo ha dicho) la persona interpreta su conducta y reacciones de tal modo que encaje lo que cree de él. Un dato más: cuando a Johnny y a sus compañeros de experimento se les explicaba lo que en realidad había pasado, es decir, que no había ningún psicópata, a la mayoría les era muy difícil de creer porque habían visto como se alteraba el otro "sin ningún motivo, porque yo no hice nada agresivo". La descripción de varios experimentos de este tipo puede encontrarse en Lindsay y Norman (1972).

Si se sustituye la autoridad externa (el serio científico de bata blanca) por la autoridad interna (el poder de los mandatos, que a su vez viene de la autoridad externa de los padres) y la creencia de que el otro es un psicópata por cualquier otra creencia sobre los demás, nosotros mismos o la vida en general, que los mandatos de nuestro guion nos imponga, el experimento que acabamos de presentar ejemplifica de un modo exacto cómo funciona, cómo hace funcionar a las personas, el guion: determinando su percepción y, por lo tanto, determinando su conducta.

Las personas sostienen creencias sobre sí y los otros (el mito y los contenidos concretos de la posición existencial) que, como se ha visto a lo largo del texto, provienen del guion. Se expresan verbalmente de modos tales como: "las mujeres siempre se ríen de los hombres" (lo que quiere decir: "las mujeres se ríen de mí"), "caigo simpático a la gente", "sólo la gente callada merece la pena". Estas creencias, expresiones de mandatos del guion, suponen guiones, o segmentos de guiones, donde, siguiendo los ejemplos, las mujeres se tienen que reír de uno, se tiene que caer simpático a los demás, se tienen que encontrar cualidades positivas a la gente callada y negativas a los parlanchines. Y esto es porque el guion proporciona unas gafas distorsionadas con las que uno se ve irrisorio para las mujeres, simpático o intuitivo para apreciar cualidades en el silencio. Así, cuando estas tres hipotéticas personas estén hablando con una mujer, y ésta sonría, el primero percibirá burla, el segundo el éxito de su simpatía y el tercero intuirá alguna agradable cualidad tras el expresivo silencio de su sonrisa. Si el primero de ellos en ese momento se retira habrá confirmado su mito sobre sí y sobre las mujeres, y su guion seguirá avanzando (puede que hacia un final de misoginia o soledad), pero si no se retira y responde a la burla que él ha percibido, pueden suceder dos cosas: la primera, que en el guion de esa mujer tenga sentido reírse de los hombres, con lo que nuestro héroe va en su guion como por un tobogán; la segunda, que no lo tenga, con lo que ella se sentirá sorprendida, malinterpretada e incluso ofendida, y al final le dirá, muy probablemente con una sonrisa irónica, algo como que vaya a un psicólogo (si lo hace dentro de su guion, elegirá un terapeuta femenino), con lo que el guion, de nuevo, avanza hacia su final.

De hecho, cuando las personas actúan con las gafas que su guion les impone, no precisan que siempre les pasen cosas así, las propias gafas del guion se encargan de seleccionar las veces en que es así, darles una importancia relevante y desvalorizar las otras. La persona vive así dando cumplimiento a una profecía autocumplida.

En definitiva, el guion da unas gafas para percibirse a sí mismo y a los demás de una determinada manera; una vez que se percibe de este modo, la conducta se ajusta a lo que se percibe y "prueba" nuestra percepción; una y otra vez probada, la percepción se refuerza. Igual que a Johnny y a su compañero fue muy difícil probarles que el otro no era un psicópata porque "le habían visto" con una conducta de psicópata, las percepciones de sí mismo y de los otros ligadas al guion son impermeables a la mera información.

Para sostener estas creencias del guion, la realidad se redefine. Redefinir la realidad es violentarla para que se ajuste a lo que yo necesito ver en ella. Si se recuerda el ejemplo de la tía Angustias de los Pérez de Bonvivant (cap. 10), la realidad en la fiesta familiar venia definida en términos de alegría; el guion de la tía Angustias contenía una prohibición para la alegría, por lo tanto la realidad, tal cual es, *la amenaza*. Ella redefine la realidad percibiendo *en primer plano* a los hambrientos de la India, lo que le provoca tristeza a ella, pero también a los demás, junto con un poco de culpabilidad y de rabia. La realidad fue redefinida en términos de tristeza, y el guion de la tía Angustias puede avanzar.

Las redefiniciones se captan con bastante claridad en el lenguaje. Por ejemplo, las generalizaciones excesivas ("todos me odian") o el detallismo extremo ("sí, estás siempre conmigo, pero anteayer, después de comer, preferiste ver la película"), maximizar y minimizar, exagerar y banalizar, son mecanismos redefinitorios. Una muy notable aportación sobre cómo el lenguaje es la llave para penetrar en el modo en que las personas transforman la realidad para no cambiar, y a la vez cómo utilizar el lenguaje como arma terapéutica, es la de Bandler y Grinder (1975). Estos autores hacen una exposición sistemática de cómo por medio del análisis del lenguaje utilizado por una persona se puede llegar a lo que ellos llaman su metamodelo (el mapa con que se orienta en el mundo; concepto en muchos puntos coincidente con el de guion de vida). Además dan las pautas para, también por medio del lenguaje, ayudar a cambiar ese metamodelo. Y todo esto lo hacen con la intención de dotar de una poderosa arma de trabajo al psicoterapeuta sin necesidad de que abandone sus concepciones teóricas personales. El trabajo que realizan es claro, sistemático, revelador y, en su momento, original.

Una consecuencia clara de lo anterior es que las gafas de guion, cono percibimos a los demás y nosotros mismos, van a determinar nuestras relaciones, quiénes estarán cerca y quién no, a quién "veremos" bien o mal (y quiénes nos "verán" bien o mal). Es decir, quién encaja y quién no, y de qué manera, en la realidad tal como alguien la redefine.

16

LOS COMPAÑEROS DE REPARTO

Los guiones que la gente sigue necesitan de otras personas para avanzar. Incluso los guiones de soledad o aislamiento precisan que las relaciones de otras personas con el sujeto del guion (que pueden ser breves y esporádicas, pero muy relevantes) justifiquen la progresiva soledad o aislamiento de la persona.

Del mismo modo que al bueno de la película le es indispensable que haya un malo para poder cumplir su papel, las personas necesitan a otras personas que jueguen papeles complementarios a los suyos. Alguien cuyo mito sea ser generoso, necesita gente que precise de su generosidad; si el guion de una persona le pide ser un segundón, necesita gente que quede primero; mucha gente en cuyo guion está el fracaso en establecer una relación de pareja estable, precisan personas que "al principio parezcan una cosa y luego sean otra".

Las especificaciones del guion para la elección de los compañeros de reparto pueden ir desde lo general ("alguien bueno") hasta lo muy particular ("mucho mayor que yo; educado en apariencia, pero egoísta", etc.), pero, de un modo u otro, todas las relaciones importantes de una persona vienen determinadas por su guion. Dicho de otro modo, los ratones que eligen gatos como compañeros de viaje son aquellos cuyo guion les pide acabar en la panza de un gato.

Los modos básicos que yo puedo utilizar para elegir o descartar a la gente que tiene un lugar o no en mi guion son: a) buscar aquellas personas que mi guion necesita y cuyos guiones piden a alguien como yo: tanto como el guion del verdugo precisa alguien con el guion de víctima, el guion de la víctima precisa alguien con un guion de verdugo; y b) redefinir la realidad para encontrar con facilidad los compañeros que necesito; en el capitulo anterior hemos analizado este punto: el guion me pone unas gafas con las que percibo a las personas de un determinado modo, y tal como las percibo, así me relaciono con ellas (si me parecen unos psicópatas, mi relación con ellas consistirá en levantar amenazadoramente mi silla), y tal como me relaciono obtengo una determinada respuesta de la gente que, generalmente, refuerza y confirma mi percepción. En general, las personas utilizan simultáneamente los dos métodos: buscar gente más o menos complementaria y redefinirlos con las gafas que nos pone el guion para que se ajusten plenamente a él.

Es muy interesante para quien esté interesado en este aspecto del análisis de los guiones de vida, la aportación que hace George Kelly, quien partiendo de presupuestos teóricos distintos del Análisis Transaccional, llega a conclusiones que confirman y esclarecen algunos de los aspectos más importantes del análisis de guiones. Kelly demuestra que las personas nos percibimos las unas a las otras de acuerdo a categorías que tenemos, en nuestro modo de percibir previamente establecidas (lo que aquí hemos llamado las gafas del guion). Para ello utiliza su Test de Repertorio de Constructos de Roles (Kelly, 1955); en él el sujeto elige un número variable de personas que son o han sido importantes para él (sus padres, su pareja, un profesor que le agradó especialmente, un jefe con quién tuvo problemas, alguien a quien le gustaría tener de amigo, etc.); luego estas personas son comparadas unas con otras del siguiente modo, que presentamos simplificado: se busca una característica que distinga a una de ellas de otras dos; por ejemplo, el sujeto puede considerar que la generosidad es una característica que diferencia a su jefe (que en opinión del sujeto no es generoso) de su madre y su mejor amigo (que sí lo son). Así se va procediendo con diferentes tríos de personas sin que el sujeto pueda repetir la característica que diferencia a uno de ellos de los otros dos. Al concluir esta parte del test, la persona tiene una serie de personas importantes para él y otra serie de características con las que percibe las diferencias y similitudes entre ellas.

Después de otros pasos sucesivos del test (en los que se califica a cada persona importante en cada una de las características que se han establecido), lo que tenemos es cómo el sujeto percibe a los demás. Lo que nos interesa de los estudios de Kelly es que a la hora de analizar los resultados de su test se encuentran cosas como que por ejemplo, para una determinado sujeto todas las personas que son calificadas altas en la característica "generosidad" *también* son calificadas altas en la característica "simpatía". Es decir, para esa persona los generosos son simpáticos; más aún, si yo soy esa persona, cada vez que perciba a alguien como "simpático", *además* le atribuiré la característica de "generoso", y ya hemos visto que, una vez atribuida una característica a alguien, nuestra manera de relacionarnos con él tenderá a confirmar aquello que le atribuimos.

Nosotros hemos hecho una adaptación del test de Kelly al análisis de guiones, donde introducimos personajes de ficción favoritos (los héroes y sus oponentes: brujas, "malos", etc.), con resultados muy satisfactorios, pues ayudan a las personas a entender sus gafas de guion. Por ejemplo, una persona puede tener unidas en su percepción el tener éxito con ser solitario, lo que puede empezar a explicarle por qué evita el tener éxito (o acercarse a la gente) o por qué "selecciona" sus parejas entre los que no tienen éxito. Es frecuente en los guiones de fracaso tener unido a la característica de no tener éxito alguna como la simpatía, la calidez, etc., que proporcionan muchas caricias; además de percibir así a uno mismo y a los demás, es lógico que una persona así cada vez busca más a personas que dan caricias por la simpatía antes que por el éxito. Por todo esto, resulta muy interesante conocer cómo tenemos agrupadas las características con que nos definimos a nosotros y a los demás, es decir, si cualidades que diferenciamos verbalmente como el tener éxito, la calidez, el egoísmo, el ser alegre, etc., etc., también las tenemos diferenciadas en nuestra percepción o si de hecho las tenemos agrupadas en una suerte de racimos que siempre aplicamos en bloque, porque nuestro guion así nos lo pide.

Dado que nos relacionamos con los demás por medio de transacciones (ver cap. 2), es el análisis de las transacciones la piedra angular sobre la que descansa el análisis de los guiones. En la comunicación entre dos personas están, implícitas o explícitas, sus mensajes, permisos, percepciones y, en definitiva, sus guiones. Es por medio de transacciones con los demás como aceptamos o rechazamos compañeros u oponentes para nuestro guion, como lo hacemos avanzar, y si llega el caso, como cuestionamos nuestro guion para cambiarlo o abandonarlo.

Pongamos un ejemplo de cómo analizando una transacción podemos entender algo del guion de una persona. Una transacción aparentemente muy simple como la que sucede entre dos personas cuando una de ellas le pregunta a la otra la hora. Habitualmente sucede así:

A: "¿Qué hora tiene?"
(Adulto que busca un Adulto)
B: "Las cinco y cuarto"
(Adulto que se dirige a un Adulto)

Diagrama 8

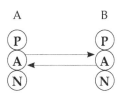

Sin entrar en disquisiciones sobre el tono, la actitud, la expresión corporal, admitiremos que aquí hay poca información sobre los guiones de estas dos personas. Pero imaginemos otras transacciones posibles:

Juan: "¿Qué hora tiene?" (Adulto-Adulto)
Pedro: "¡Oye, tío, hazte con un peluco y no des la vara!" (Niño Rebelde-Padre Crítico)

Diagrama 9

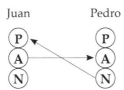

A menos que Juan lleve pidiéndole la hora a Pedro implacablemente durante los últimos dos años, o que sea una respuesta ocasional, si observamos que Pedro generalmente cruza las transacciones de Adulto desde su Niño Rebelde nos podremos preguntar por su manera de ver la vida y a los demás (sus gafas de guion) que le lleva a adoptar tal postura. Obsérvese que, después de la respuesta de Pedro, hay una alta probabilidad de que Juan replique con una crítica (es decir, utilice su Padre); con lo cual, como se ve en el diagrama, se llega a una transacción complementaria que justifica a Pedro a seguir en el Niño Rebelde, con las implicaciones que eso tenga para su guion:

Pedro: "¡Oye, tío, hazte con un peluco y no des la vara!" (Nr-Pc)
Juan: "¡¿Eres bobo?! ¿Qué contestación es ésa?" (Padre Crítico-Niño Rebelde)

Diagrama 10

Si el señor Gómez de Añejo, cuya opinión sobre la juven-

Juan   Pedro

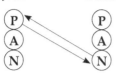

tud es bastante negativa, se ve en el trance de pedir la hora a Pepe Rockabilly, quien piensa que sus mayores estarían mejor en formol, y lo hace levantando levemente la barbilla, y con una frase como: "¡chst! pollo, deténgase, y haga el favor de decirme la hora", es muy probable que obtenga de Pepe una respuesta perfectamente complementaria del tipo de: "Que se detenga tu padre, carcamal". Así, ambos confirman sus creencias, obteniendo "evidencias" de la realidad, y afirman algún aspecto de sus gafas de guion.

Sr. Gómez de Añejo: "¡Chst, pollo! deténgase, y haga el favor de decirme la hora" (Padre a Niño)

Pepe Rockabilly: "Que se detenga tu padre, carcamal" (Niño a Padre)

Diagrama 11

Gómez de Añejo / Pepe Rockabily

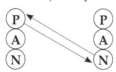

(Recuérdese que, hablando de transacciones, complementario quiere decir que los interlocutores aceptan un determinado modo de comunicación, y no significa necesariamente que su modo de comunicarse sea agradable, eficaz o sano).

Es por medio de transacciones como las personas redefinimos la realidad, aceptamos y rechazamos compañeros y nos situamos con respecto a los demás, es decir, hacemos avanzar nuestro guion (también será por medio de transacciones como, en un proceso de cambio, comenzaremos a cuestionar primero y a abandonar después nuestro guion).

Un aspecto importante es encontrar cuál es el tipo de transacción básico de una persona. Es decir, qué estado del yo tiende a utilizar y qué estado del yo busca en la otra persona. Si retomamos los ejemplos anteriores veremos que cuando el interlocutor propone otro modo de relacionarse, otra transacción, la persona no lo acepta y cruza la transacción hasta que logra la transacción que busca (no siempre lo logrará, obviamente, pero tenderá a buscarla insistentemente). Cuando una persona hace esto con una cierta continuidad, es porque en la época en que se formó su guion esa transacción que busca era la más importante en su entorno. Por ejemplo, Niños Sumisos que buscan Padres Protectores, Niños Rebeldes que buscan Padres Críticos, o el guion puede pedir ser impositivo (Padre Crítico) para lo cual hay que buscar Niños, Sumisos o Rebeldes, que justifiquen el serlo, etcétera. Si al lector familiarizado con la teoría psicoanalítica esto le suena a los conceptos de transferencia y contratransferencia, tiene razón: ambos conceptos están contenidos en lo que arriba decimos. El análisis de transacciones aporta un instrumento muy poderoso para la descripción de los fenómenos transferenciales.

En muchas ocasiones la transacción básica de la persona se obtiene después de un cierto número de ellas, con características bien definidas, y que suceden siempre del mismo modo. Aquello que a las personas les sucede una y otra vez, deja siempre los mismos sentimientos, y es una parte central de las relaciones de las personas, es lo que hemos definido con el nombre de Juego (ver cap. 5), y a ellos y a su relación con el guion dedicaremos las siguientes páginas.

Recordemos que al hablar de los Juegos se ha dicho que son parte fundamental de las relaciones de muchas personas, y también se ha dicho que es un modo de relación que deja mal inevitablemente (incluso cuando hay una sensación de "triunfo", ésta es a costa de alguien y con un regusto insatisfactorio) y que impiden a las personas una relación de intimidad. La cuestión parece, entonces, que sería: si sus resultados son tan negativos, ¿cómo es que los convertimos en parte tan central de nuestras relaciones?

Responderemos a esta cuestión desde dos puntos de vista:

a) Los Juegos, a pesar de sus inconvenientes, dan algo a la persona: le proporcionan una buena cantidad de contacto social, es decir, relaciones con otras personas. Por lo tanto, proporcionan una buena cantidad de caricias; si bien son básicamente negativas, hemos visto que, si no sé obtener caricias positivas, tenderé a obtenerlas negativas antes que quedarme sin nada.

Por ejemplo, veamos qué pasa en casa de los Mota cuando practican el Juego de "Abrumada". La señora Mota ha organizado su vida de ama de casa (con la complicidad activa o pasiva de su marido) de tal modo que está continuamente abrumada: ni una mota de polvo, ni una mancha en el mantel, los niños listos a su hora, el periódico para el señor Mota, comidas que requieren una buena cantidad de tiempo en su elaboración, etc., etc. La señora Mota no tiene permiso (ni interno de su Padre Crítico, ni externo de su marido) para dejar de cumplir alguna de sus supuestas obligaciones. Cada cierto tiempo, lógicamente, no puede más o hay algo que es imposible hacer y entonces estalla o se hunde, y aparece su queja de estar abrumada. En ese momento el señor Mota o bien la crítica abiertamente por el fallo, "no me digas que es tan difícil que la comida esté a las dos y media", o bien adopta una actitud "comprensiva": "no te preocupes, querida; si no puedes, dilo, y comemos alguna lata", lo que suele querer decir, y así le llega a la señora Mota, que "mi madre tenía seis hijos y siempre sacó la casa adelante sin mayor problema". Un Juego como éste es el pivote sobre el que giran las relaciones de muchas parejas. Veamos lo que obtienen:

1) Una buena cantidad de atención mutua; en muchos casos, la más intensa que son capaces de obtener. Es decir, relación y caricias, aunque sean negativas.

2) Confirmar creencias importantes para sus vidas. La señora Mota puede confirmar que "Por más que me esfuerzo nunca lo logro" y "Los hombres son ingratos", y el señor Mota puede confirmar, por ejemplo, que "Las mujeres son débiles e histéricas".

3) Saber qué hacer con su tiempo: la señora Mota seguir esforzándose y el señor Mota supervisar cuidadosamente las acciones de su mujer hasta que se produzca el primer fallo.

4) Mientras el tiempo esté estructurado alrededor del Juego los dos se libran de la intimidad. Intimidad en la que tendrían que afrontar por qué cada uno empuja al otro a considerar que lo más importante de la relación sea que la comida esté a la hora en punto o que no haya polvo en una estantería en lugar de mirarse cara a cara como personas.

Si se analizan estos cuatro puntos se llegará fácilmente al segundo punto de vista desde el que ver por qué las personas se aferran a sus Juegos:

b) Los Juegos son una parte esencial del guion de una persona. Dicho de otro modo, los Juegos impulsan el guion. No parece posible que si el Juego de "Abrumada" es un parte esencial de la relación de los Mota, sus vidas estén abiertas a la autorrealización, al disfrute de genuina intimidad o al bienestar emocional. Pero no nos extrañaríamos si la señora Mota estuviera viviendo un guion de no amor cuyo final sea la depresión, final al que cada episodio de "Abrumada" la acerca un poco más.

Desde el punto de vista de los compañeros de reparto del guion, una razón importante para elegirlos es que su papel en el Juego sea complementario con el papel que yo tomo en el Juego que impulsa mi guion. Ya se vio que los papeles en los Juegos eran tres, y sólo tres: Perseguidor, Salvador y Víctima. Repitamos aquí que no son genuinos, sino que es la necesidad psicológica de perseguir, salvar o victimizarse la que lleva a la persona a adoptarlos. Ahora que ya se ha hablado de las gafas de guion, se comprenderá mejor cómo podemos forzar la realidad para "ver" que hay que Perseguir a alguien, Salvarle (pero no mucho, no vaya a ser que no me necesite) o adoptar la postura de Víctima.

Simplificando la cuestión (pues en la práctica el paso de un rol a otro puede ser muy sutil) diremos que una persona cuyo rol favorito sea el de Víctima elegirá para compañeros –bien estables, bien ocasionales– a Perseguidores que le critiquen o a Salvadores que le hagan sentirse inferior y desvalida, antes que a otras Víctimas con las que, como mucho, sólo puede dedicarse al pasatiempo de "Qué vida ésta, tan perra", mientras espera al Perseguidor o al Salvador que la justifique en su papel de Víctima, por medio de un Juego que, a su vez, haga avanzar un guion donde ser una Víctima tenga una función y un significado principales. Complicando levemente el asunto, otro ejemplo puede ser el de un Perseguidor que aparente un papel de Víctima hasta que llegue otro Perseguidor (al que perseguirá por no ayudarle lo que debía), un Salvador (al que perseguirá por no ayudarle lo suficiente) o una Víctima (a la que perseguirá por mostrarse tan miserable que no es de ninguna ayuda). Las combinaciones, así, son varias según el papel que puede aparentar (el rol social) y el que realmente juegue al final (el rol psicológico), pero todas son bastante obvias y el lector puede, como ejercicio, pensar en alguna otra entre las que no hemos presentado aquí.

17

EL GUION Y OTROS APRENDIZAJES

A lo largo del texto se ha ido mostrando cómo el guion se forma por medio de las decisiones que, en respuesta a la presión de los padres y del ambiente, el niño toma sobre quién es él, quiénes son los demás y qué hará en la vida. También se ha visto que a medida que dicha presión parental y ambiental es mayor, más asfixiante, la decisión del niño se acercará inevitablemente a ceder a esa presión. En otros términos, el niño, con los elementos que hay disponibles a su alrededor, aprende cómo tiene que verse él, ver a los demás y ver la vida (la sanidad o insanidad de este aprendizaje estribará en la diferencia entre aprender a vivir y aprender a sobrevivir). Un niño que recibe mensajes de rechazo por parte de sus padres cuando llora expresando su pena, aprenderá a no hacerlo (o no aprenderá a hacerlo). Este tipo de aprendizaje pasa a ser esencial en la persona y su relación con el mundo, de un modo estable y resistente. Vamos a compararlo con otros tipos de aprendizaje, entrando en las siguientes páginas en el ámbito de la psicología cognitiva.

Una definición de lo que es la psicología cognitiva, en palabras de uno de sus autores, es: "el análisis científico de los procesos y estructuras mentales con el fin de comprender el comportamiento humano" (Mayer, 1981, p. 17). Cómo almacenamos y utilizamos la información, cómo percibimos, cómo aprendemos, son algunas de las cuestiones a las que los psicólogos cognitivos prestan atención especial. Algunas de sus investigaciones, que a continuación presentaremos, nos parecen de gran interés para comprender puntos importantes de la naturaleza del guion de vida.

Una de estas experiencias se llevó a cabo con niños entre los cuatro y los seis años de edad (Carey, 1986). Los niños pasaban por una larga entrevista en la que se les explicaban la función y la importancia de muchos órganos internos, como el corazón, los pulmones, etc. Después de esto, se les preguntaba sobre qué parte de su cuerpo era la más importante. A pesar de toda la nueva información que poseían, los niños nombraron partes tales como la nariz, los dedos de los pies o el pelo. Es decir, nombraron aquello que estaba relacionado con la autoobservación de su actividad. Su teoría de la vida está basada en su actividad y su experiencia y sus respuestas eran consecuentes con esa teoría.

De este mismo modo, niños de cuatro a siete años, a los que se preguntaba si los gusanos respiran dijeron que no, basándose en el hecho de que no veían nada parecido a un pecho en movimiento en un gusano; mientras que si se preguntaba a niños mayores era más probable que contestasen que un gusano respira.

También en estudiantes mayores vemos fenómenos similares. Después de un curso de física (Larkin, 1983) en el que se enseña a los alumnos que las fuerzas son proporcionales a las aceleraciones, no a las velocidades, los estudiantes aprenden a resolver problemas aplicando las fórmulas correctas, pero muchos de ellos siguen pensando que la velocidad es proporcional a la fuerza, basando esta teoría personal errónea en hechos tales como que para ir a una velocidad constante en un coche hay que mantener una fuerza constante sobre el acelerador.

A partir de estos estudios y otros similares se concluyó lo siguiente (aún seguimos estrictamente en el campo de la psicología cognitiva):

a) Que a partir de la experiencia diaria desarrollamos teorías. A estas teorías se las ha llamado *teorías personales, primitivas o ingenuas.*

b) Que estas teorías personales son *extremadamente estables.* Actualmente hay una amplia evidencia de que estas teorías resisten tenazmente cuando se les presenta información contraria.

c) Que el abandono de una teoría personal por otra se hace más por *revolución que por evolución.* Es decir, que las personas cambian sus modos de verse ellos y ver el mundo de un modo más bien brusco, cuando algo permite el cambio dentro de ellos (cuando maduran las capacidades, determinadas experiencias vitales intensas, cambios fuertes en el entorno, etc.).

La implicación de todo esto para el aprendizaje es grande. No basta con proporcionar información a las personas para que aprendan, ni tampoco podemos conformarnos con una cierta habilidad para aplicar fórmulas o conocimientos como índice de que se ha aprendido. El aprendizaje para la vida consistiría en el progresivo abandono de las teorías personales primitivas erróneas y su sustitución por concepciones realistas y verdaderas. Para ello más que información habría que proporcionar *entornos de cambio*, ambientes donde, además de la información, se favorezca la madurez y las experiencias necesarias para dicho cambio.

El guion de vida participa de la misma naturaleza que estas teorías personales. Hablando con más propiedad, el guion de vida es *la* teoría personal, primitiva o ingenua (aunque a menudo dramática) sobre la vida (sobre uno, los demás, lo que se puede hacer y no hacer, lo que se puede esperar o no esperar, las posibilidades que uno tiene y las que no tiene). Al igual que en las investigaciones arriba mencionadas, surge de la experiencia diaria del niño, del choque (fructífero o represivo) de las tendencias y necesidades del niño con el ambiente que sus padres, primariamente, le proporcionan, dentro del contexto existencial del que ya hemos hablado ampliamente. Igualmente, es tremendamente estable y resistente a la mera exposición de evidencias contrarias; por ejemplo, una posible creencia de guion puede ser "yo no valgo" como eje central de un guion de fracaso; la simple información a una persona que sigue un guion de ese tipo, de que tiene cualidades, o de que puede valorar cosas que ya ha logrado, choca contra los mecanismos para redefinir y percibir la realidad de acuerdo al guion que hemos visto en un capítulo anterior: "sí, esto fue casualidad, aquello lo logré porque alguien me ayudó; lo otro lo conseguí porque los demás eran muy torpes, pero en realidad no valgo mucho".

Incluso, al igual que los estudiantes de física, puede tenerse una cierta habilidad para moverse en la vida *como si* se tuviera una teoría personal adecuada, pero de hecho actuar con la teoría primitiva. Por ejemplo, una creencia en el guion de Amaranta puede ser que "las mujeres piensan peor que los hombres"; sin embargo, en sus relaciones sociales puede oírsela discutir, incluso vehementemente, sosteniendo la igualdad de capacidad entre los sexos y no aceptando ningún tipo de desvalorización (esto supondría una teoría realista, adecuada a la evidencia, así como un permiso para pensar todo lo bien que su capacidad permita); pero de hecho, Amaranta elige compañeros varones ante los que se siente intelectualmente cohibida porque son, o ella lo percibe así, intelectualmente superiores, y críticos frente al pensamiento de ella, con lo que sigue un guion en el que las mujeres (ella) no piensan o lo hacen mal cuando hay hombres delante (los que elige para su guion). De nuevo estamos ante una profecía autocumplida: elige hombres así porque tiene ese tipo de teoría personal, y al elegirlos así la teoría se autoconfirma.

También el guion de vida se abandona por un proceso más cerca de lo revolucionario que de lo meramente evolutivo. Precisa de un entorno de cambio donde la nueva concepción sobre la vida surge *a costa* de la primitiva, no a partir de ella: incorporar el permiso para expresar sentimientos, por ejemplo, no se logra a partir de la prohibición para hacerlo, sino a costa de ella, contra ella (el que el proceso sea de tipo revolucionario no implica que sea rápido: al igual que las revoluciones sociales o científicas se pueden gestar y preparar durante un tiempo más o menos largo y brotar cuando, en un momento, se dan determinadas condiciones).

De un modo general, hemos dicho, que el guion es en tanto que teoría personal y primitiva (digamos de paso que los mandatos y permisos fundamentales del guion están en el Niño de la persona, su estado más primitivo) muy resistente al cambio. Pero de un modo particular, el guion de vida es especialmente resistente al cambio. La razón es que mientras que otras teorías personales que tocan campos concretos (como la relación entre fuerzas y velocidades, o la consideración de si es más importante el corazón o los dedos de los pies) y que afectan sólo a aprendizajes específicos no llevan, en general, demasiada carga emocional para la persona –simplemente, la persona en ese punto de su vida y su experiencia lo vive así–, el conjunto de teorías personales sobre uno, los demás y los sucesos importantes de la vida que conforman la macroteoría personal y primitiva que es el guion de vida, están ligadas, como se ha intentado mostrar en capítulos precedentes, a la supervivencia, a la obtención de las caricias y la atención necesarias para sobrevivir, a las respuestas básicas sobre la vida. De modo que para abandonarlas y "aprender" a vivir de otra manera y a partir de otras teorías realistas y adecuadas, la persona necesitará (sin duda alguna, exigirá) un entorno de seguridad especialmente fuerte y estable.

Así pues, el guion de vida es el gran marco cognitivo, la macroteoría personal y primitiva que dirige y orienta el comportamiento del individuo en sus líneas básicas.

PARTE V
EL ABANDONO DEL GUION

18

EL ABANDONO DEL GUION

Voy a dejar de creer en todas tus mentiras/
porque hay mucho que hacer antes de morir
Dave Mason, *Feelin' allright?*

Es posible que el lector que haya llegado a este punto piense que la teoría de los guiones proporciona una visión de la vida humana dramática y desalentadora. El guion es una poderosa fuerza que constriñe a las personas y las impulsa a vidas grises y limitadas o a cursos de vida y desenlaces trágicos. Sin embargo, el punto de partida de toda la teoría surge de una evidencia esperanzadora: las personas que nacen y se desarrollan en un entorno de amor, cariño y aceptación, donde la protección, las caricias y los permisos son abundantes, tienden a desarrollar su capacidad natural de estar bien, lo que se traduce en una mayor libertad y amplitud de opciones en su vida, y se observa en ellas una habilidad para situarse en disposición de estar bien, y una facilidad para desarrollar y hacer efectivas sus propias capacidades.

Esta capacidad natural de estar bien del ser humano, si no ha podido ser utilizada, permanece más o menos oculta, pero no desaparece; la psicoterapia nos ofrece la certeza de que esto es así: si se les da la oportunidad, las personas se comprometen y se les proporciona el entorno adecuado, aparece esa capacidad que quizá ha estado hondamente sepultada bajo el peso de los mandatos, las decisiones, es decir, del guion que fue incorporado por la persona (la excepción puede estar en personas de mucha edad con guiones fuertemente implantados; de hecho, frecuentemente está contraindicado en estos casos intentar cambiar un guion, puesto que sus opciones de vida están ya muy limitadas y el guion, al menos, da algún tipo de estabilidad). Pero el hecho de que las personas tienen esa capacidad natural de estar bien no evita, lamentablemente, que el sufrimiento, la limitación, la angustia o el fracaso estén presentes en las vidas de muchas personas. El presentar y explicar las causas, las razones y las consecuencias de no poder poner en práctica la capacidad de estar bien es el propósito de este libro: los guiones de vida triviales y hamárticos.

Ahora bien, quien confunda el señalar lo que va mal, por muy extendido y arraigado que ese mal esté, con la idea de que es inevitable que las cosas vayan mal, no está siguiendo los presupuestos básicos del análisis de guiones. Y estos presupuestos son:

1) Las personas tienen una capacidad natural para estar bien, tener y elegir opciones, y buscar y encontrar su bienestar personal.

2) Cuando el entorno en el que nacen y se crían (donde el mayor peso está en sus padres o sustitutos) es, en mayor o

menor medida, tóxico, represivo, atemorizador o, utilizando un tono menor, carente de calidez, de estímulo o, a veces, simplemente timorato, las personas estructuras guiones de vida, siguiendo las directrices y mensajes del entorno, que pueden ser muy nocivos pero que les permite sobrevivir.

3) Las personas pueden cambiar; es decir, pueden abandonar su guion. La capacidad de estar bien puede estar sepultada, pero no muerta. Las personas cambian por experiencias vitales intensas, por un trabajo personal fuerte o por medio de la psicoterapia (estas vías de cambio no se excluyen entre sí, pueden darse simultáneamente y, de hecho, la psicoterapia proporciona entornos y estrategias para que se den las otras dos).

Los guiones, pues, pueden abandonarse. Obviamente, cuanto más fuerte y más ligado a la supervivencia esté el guion, más potencia e intensidad se necesitará para abandonarlo. A lo largo del texto se han ido apuntando, a propósito de los casos con que se ejemplificaban los diferentes aspectos del guion, algunos de los mecanismos y acciones por los que las personas pueden abandonar su guion. En esta parte del libro hablaremos algo más de ellos.

19

EL PERRO GUARDIÁN DEL GUION

... hay alguien en mi cabeza, pero no soy yo.

Roger Waters

Uno de los temas sobre el que más se ha insistido en las páginas precedentes ha sido la fuerza con que los guiones se mantienen. Incluso cuando una persona ya es consciente de que está en un guion y ve con claridad una vida trivial o trágica delante de él, este conocimiento no le sirve para abandonar el guion automáticamente. La persona no realiza ningún acto en contra de su guion porque se siente amenazado fuertemente para que no lo haga. Recordemos aquí que esta amenaza fue muy real en otro tiempo: si se oponía a los mandatos enfrente tendría la todopoderosa reacción de sus padres, e igualmente si no aceptaba las atribuciones que le hacían (por ejemplo: "no sé pensar, soy tonto", que viene de "no sabes pensar, eres tonto", o "soy distinto, soy la oveja negra", que viene de "tú eres distinto, eres peor que...". Ahora, en el momento actual, la amenaza ya no proviene del exterior (aunque puede seguir siendo reforzada desde fuera), sino del interior de la persona, pero es igualmente amenazadora.

Esta amenaza interior es el perro guardián del guion. Cada vez que la persona está ante una situación que supondría salirse del guion, el perro gruñe sordamente (produciendo la sensación de una amenaza ominosa e indeterminada), ladra (poniendo en la imaginación de la persona la imagen de la catástrofe o el desastre que ocurrirá; por ejemplo, "se reirán de mí") o muerde (haciendo sentir culpa, angustia o deprimiendo a la persona). La idea del enemigo interior es vieja en las tradiciones, la literatura, la filosofía y la psicología. De hecho, dentro del Análisis Transaccional se le han dado nombres como el Ogro, la Bruja, el Electrodo, el Enemigo o el Padre Cerdo, que quieren transmitir su cualidad de algo ominoso, amenazador y fuerte, cuya función es preservar y hacer cumplir los mandatos y atribuciones más represivos y limitadores del guion.

El nombre de Enemigo, Padre Cerdo o perro guardián puede ser alegórico, pero la alegoría acaba ahí. Detrás del nombre hay una realidad transaccional: el niño realiza sus intercambios con el entorno por medio de transacciones; éstas pueden ser verbales o no verbales, explícitas o ulteriores (ver cap. 2), pero es por medio de ellas como le llegan los mensajes, las atribuciones y *las amenazas que harán que los acepte*. Cuando quedan incorporados y el guion construido, las transacciones que antes fueron con alguien de fuera *se repiten internamente* (hemos visto cómo en los capítulos de las gafas de guion y de los compañeros de reparto); el conjunto de amenazas que quedan internamente ligadas a los mandatos y las atribuciones se viven transaccionalmente, como un diálogo interno, que puede llegar a la conciencia o no, pero que está indefectiblemente ahí cada vez que el guion lo requiere.

La idea del Padre Cerdo o del perro guardián impulsándonos bajo amenazas y juego sucio a cumplir nuestro guion encuentra una cierta (o total) oposición en quienes no consideran apropiado un lenguaje de este tipo. Cuando el uso del lenguaje común implica superficialidad es una oposición razonable, pero el AT berniano es muy poco superficial como descubre quien se acerca a sus obras. Quizá si definiéramos al perro guardián como "el polo parental represor de la dicotomización intrapsíquica arcaica", algunos, no todos, condescenderían a sentarse con nosotros en la misma mesa, pero si en esa mesa yo quiero expresar afecto a alguien y mi guion me lo prohíbe, sentiré la sucia pata de mi perro guardián arañándome el estómago por dentro, y si rehúso intervenir por miedo a la reacción de los otros (lo que quizá tenga mucho sentido dentro de un guion de fracaso) es posible que una fracción de segundo antes de retirarme haya "oído" su ronca voz perruna diciéndome "harás el ridículo, se reirán de ti".

En realidad, es muy frecuente que las personas verbalicen algunos aspectos de esta amenaza interior. Un buen número de gente es capaz de dar cuenta sin un gran esfuerzo del diálogo interno que sucede en su cabeza cuando tienen que enfrentar una determinada situación. Dado que el perro guardián es el depositario de las amenazas de los mandatos, y muchas veces éstos no fueron transmitidos verbalmente, no siempre es obvia su intervención, pero la experiencia terapéutica demuestra que sólo es necesario un breve entrenamiento para empezar a verle asomar las orejas.

La intervención del perro guardián va desde lo extremadamente sutil a lo abiertamente brutal, con gran variación de una persona a otra. Esto es así porque la amenaza que acompañaba a los mensajes le fue transmitida al niño de un modo sutil (quizá un leve gesto de la boca) o brutal (por ejemplo, por medio de un violento grito), y este modo es el que se repite como una transacción que sucede dentro de nosotros, es decir, éste será el modo de actuar del perro guardián.

Para abandonar un guion, un paso importante es sacar a la luz todos esos diálogos interiores, amenazas, miedos y desvalorizaciones que nos mantienen en él; es decir, sacar a la luz los susurros, gruñidos, ladridos y mordiscos del perro guardián, que como un auténtico cancerbero impide que salgamos del infierno de nuestro guion. El perro guardián, como acertadamente ha señalado Steiner (él le llama Padre Cerdo), tiene su hábitat preferido en la oscuridad de la mente, entre el humus de los miedos y las amenazas ominosas pero vagamente definidas. El aislamiento, tanto físico como psicológico, de las personas engorda y fortalece al perro guardián. Los enemigos naturales del perro guardián son la *intimidad* y la *cooperación* entre las personas. En la intimidad, entendida como una relación abierta y de mutua aceptación entre dos o más personas, uno se siente digno y aceptado; en la cooperación uno se siente valioso y con poder. Sentirse digno, aceptado, valioso y con poder es exactamente lo contrario de lo que provoca la intervención del perro guardián que nos empequeñece, nos desvaloriza y minimiza nuestras posibilidades y opciones sobre el mundo. Exponer a la luz de la conciencia al perro guardián es impedirle que juegue en su campo y el primer paso para librarse de él.

Una vez expuesto, hay que distinguirlo del Padre Protector y del Adulto, que advierten de algún peligro o de alguna fantasía peligrosa para nosotros (por ejemplo: "si no dedico más horas a estudiar no aprobaré la oposición"). En general, el perro guardián en sus intervenciones produce sentimientos de desvalorización y no da opciones, mientras que el P. P. y el A. no desvalorizan y proporcionan opciones.

El paso decisivo (Steiner, 1979) es la confrontación: el perro guardián del guion *siempre* está equivocado. Ninguna de las ideas que mantiene sobre la indignidad, incompetencia, falta de cualidades o torpeza de la persona son ciertas. Y no lo son porque, aunque aparezcan disfrazadas con un ropaje razonable, transmiten una desvalorización absoluta e *inamovible* de la persona. Por ejemplo, supongamos una persona con un guion de fracaso; a la hora de afrontar una nueva actividad que podría suponer un éxito una de las posibilidades que su guion le ofrece es abandonarla sin intentarlo; en este caso la persona puede expresar algo así como: "lo dejé porque no estaba realmente preparado para afrontarlo", ésta es una afirmación que en sí misma no tiene por qué suponer un guion de fracaso, pero si se sigue hablando con la persona pueden aparecer frases como: "estas cosas a mí me son muy difíciles", y después "es que yo no valgo mucho para esto", y rascando un poco más: "en realidad, soy de los que nunca consiguen cosas como ésta", y al final "yo no soy capaz de triunfar", con lo que ya tenemos la frase del perro guardián que defiende este guion de fracaso. La frase "yo no soy capaz de triunfar" es simplemente, y para cualquier persona, mentira; como lo es ser malo, tonto, torpe, frío, etc., de un modo esencial, absoluto e inamovible. A veces, es difícil convencerse de que el perro guardián miente siempre, porque el guion ha proporcionado ya una serie de pruebas que parecen darle la razón, pero la cuestión es que hay alguna prueba porque *primero* se le creyó y no al revés.

El abandono del guion pasa necesariamente por la derrota de su perro guardián. Para lograrla, en muchas ocasiones habrá que evitar también a los perros guardianes de otras personas cuyo guion precisa que yo siga en el mío, con el resultado de una alianza de perros: la risa desvalorizadora del otro ante mi fracaso; el miedo que otro me transmite y que aumenta mi miedo ante determinada actividad; el aliento malsano que otro me presta para que yo desvalorice a alguien y me sienta falsamente fuerte. El abandono del guion puede conllevar el abandono de algunos de los compañeros de reparto que no acepten el cambio o que ellos mismos no puedan hacerlo. Todo ello puede suponer una dura tarea, en la que la persona necesita protección, caricias que impulsen los cambios y ayuden a estabilizarlos. Una persona, en terapia, me contaba así su sensación cuando ya empezaba a realizar cambios en su vida: "Tengo miedo, a veces me parece brujería. Hay días que pienso que si sigo cambiando pasará algo malo". Es la amenaza del perro guardián del guion; cuando empieza a ser vencido, reorganiza más atrás sus defensas desde las que seguir amenazando a la persona. En este momento necesitamos apoyo, protección. El entorno de la psicoterapia la ofrece, pero la vida cotidiana también ofrece sus apoyos, por medio de las personas que se sienten bien cuando alguien a su lado va ganando cotas de libertad.

El mejor resumen del significado del perro guardián en el guion de una persona lo tenemos en alguno de los versos de *Itaca*, de Cavafis: *A los Lestrigones y a los Cíclopes, al fiero Poseidón no encontrarás, a no ser que ya los lleves en tu alma, a no ser que tu alma los ponga en pie ante ti.*

20

¿QUÉ SUCEDE EN LA TERAPIA?

Pues si puedo ayudaros no será con actos o maquinaciones, o deci-
diendo que toméis tal o cual rumbo, sino por el conocimiento de lo que ha
sido y lo que es, y en parte de lo que será.

J. R. R. Tolkien, *El Señor de los Anillos*

No es el objetivo del libro hablar de cómo se realiza la terapia del guion; sin embargo, tratando del abandono del guion,
puede ser de utilidad comentar algunas cosas que suceden
en la terapia (las páginas anteriores ya contienen muchas de
ellas), puesto que ésta es un entorno diseñado especialmente
para abandonar el guion.

Como primer paso, el terapeuta para tener éxito en la tarea de apoyar a la persona para que abandone su guion, debe
tener claro quién hay y quién no hay, además de él, en la sala
de terapia.

No hay un inválido, ni siquiera cuando la persona se presenta como tal, por lo tanto no necesita un Salvador que le
rescate una y otra vez hasta que quede al descubierto el Juego

y la inutilidad de la terapia. Hay una persona con una capacidad para estar bien más o menos sepultada, y a la que siempre se puede pedir un compromiso para que se responsabilice de una parte del trabajo.

No hay sólo un cerebro, es decir, un Adulto frío y excluyente. Hay una persona total, así que si el terapeuta utiliza sólo su Adulto como una máquina de recibir, computar y devolver información la estará tratando como una persona parcial.

Por lo tanto, un encuadre terapéutico con garantías de éxito contiene un contrato en el que la persona que pide ayuda es considerada como capaz y adquiere un compromiso de responsabilidad y trabajo. Además, la relación es entre dos (o más si se trabaja en grupo) personas completas. Cuando esto no sucede así, suele ser por un problema del guion del terapeuta, que le pide Salvar o que le prohibe expresar su Niño, o dar protección con su Padre. Obsérvese que este aspecto del encuadre no es diferente del que rige las relaciones satisfactorias y sanas de pareja, amistad o trabajo cooperativo. Igualmente, hay que hacer notar que este encuadre no presupone igualdad en todos y cada uno de los aspectos de la relación; por ejemplo, dentro de ese encuadre, mi mujer puede enseñarme a hacer un cocido o a interpretar el test de Rorschach, lo que implica que ella sabe hacer cocido o interpretar el test de Rorschach, y yo no, pero ni mi capacidad de aprender, ni el compromiso de trabajo de ambos, ni nuestra relación como personas totales quedan excluidas. Del mismo modo, en la terapia el terapeuta tiene (o se le suponen) conocimientos, experiencia, y maneja unas técnicas que la otra persona no posee, pero el encuadre antes mencionado puede, y debe, establecerse.

Para muchas personas, la terapia proporciona la primera relación en que se le acepta como capaz, responsable y como una persona total, y la actitud firme y constante del terapeuta en mantener el encuadre proporciona lo que en otra parte del libro hemos llamado un entorno favorable donde cambiar. En algunas ocasiones, no será poco trabajo el que lleve establecer y mantener ese encuadre.

A partir de aquí, hay algunos hitos en la terapia que la experiencia muestra que son relevantes y útiles para las personas (obviamente, no de la misma manera, la misma relevancia y en el mismo momento para todas las personas); algunos de ellos son:

El descubrimiento de que se está siguiendo un guion; para llegar a ello el terapeuta actúa al modo que ejemplifica el párrafo de "El Señor de los Anillos" que abre este capítulo. La unión de lo que sucedió en su vida en el pasado con lo que le está sucediendo ahora, y a partir de ello, avanzar de un modo lógico el futuro, lo que con mayor probabilidad sucederá si nada cambia. Si a José Arcadio Buendía le han dejado tres mujeres en el pasado y su mujer se está separando ahora de él, en la bola de cristal se ve con claridad un futuro donde otras mujeres dejan a José Arcadio. Quizá tenga que abandonar su fantasía de Papá Noel, en la que una morena de ojos verdes aparecerá por las buenas y quedará encandilada por todo lo que a las otras las hizo huir, pero cuando lo haga y vea que es un personaje en un guion que le lleva a ser abandonado (a ingeniárselas para ser abandonado), con un muy posible final de soledad, este descubrimiento será el primer paso para abandonar ese guion.

Debajo de todo guion hay una imagen del yo (una imagen de cómo la persona se vive y se siente a ella misma, más allá de cualquier fingimiento social), esta imagen del yo está en el Niño y condensa el sufrimiento, el miedo y la limitación que llevarán a estructurar el guion. Un ejemplo de ella la proporciona el Sr. Morado en el cap. 8, un niño sentado en una silla intentando obtener migajas de caricias dando pena y mostrándose solo y abatido. Personalmente, éste nos parece uno de los aspectos más importantes en el trabajo sobre los guiones. Sacar a la luz esa imagen del yo que, de un modo u otro, es siempre un niño que siente que no está bien, aunque ahora mida 1,90 y sus empleados tiemblen al oírle llegar.

A mi modo de ver, la lucha fundamental en el abandono de un guion gira en torno a esa imagen del yo. El perro guardián es quien fieramente trata de mantenerla. Si el Sr. Morado trata de levantarse de la silla y sentirse digno, el perro guardián le pega un ladrido que se vuelve a caer de culo en la silla, es decir, si trata de actuar como una persona que puede ser querida por los demás sin recurrir a la depresión, más o menos conscientemente le sobrevendrá la amenaza del aislamiento, el ser ignorado, el perder a los demás (lo que de hecho pasaba en su infancia). Por lo tanto, sacar a la luz esa primera imagen del yo, junto con el desenmascaramiento, el estilo y las amenazas del perro guardián del guion es un paso muy importante.

A lo largo de este proceso, en el que pueden servirle de ayuda ejercicios como los que mencionamos en otros capítulos (la primera escena, la visita al cementerio, trabajar sobre el héroe favorito, etc.), el terapeuta establece una alianza con el Adulto del paciente para lograr que, a partir de un cierto momento, el Niño se sienta digno, fuerte, con la capacidad de aceptar y ser aceptado por los demás, de querer y ser querido por los demás, resumiendo, un Niño que siente que está bien.

Insistamos que el Niño de la persona, por más que tenga que haber un Adulto fuerte, es el que realmente puede decidir abandonar un guion porque el guion está anclado en el Niño. Por eso el mero conocimiento racional de nuestro guion no sirve para abandonarlo. En términos boxísticos el Adulto es quien se informa de las cualidades, peso, pegada, antecedentes y juego de piernas de los contrincantes, hace de entrenador y prepara la táctica, pero el que tiene que salir al ring a pelear con el perro guardián es el Niño. El Padre Protector, en primera fila de ring, le anima. Mientras llega ese momento, el terapeuta desenmascara y confronta sistemáticamente al perro guardián cada vez que asoma las orejas.

Los indicativos de que la lucha se está ganando son los siguientes (al mismo tiempo son indicativos de las personas que están fuera de guiones limitadores o de malestar):

a) El cambio de la imagen del yo antigua por una en la que el Niño está bien. Esto no es sólo una sensación, en seguida se transforma en acciones que sólo son concebibles en una persona que se siente digna y que va adquiriendo seguridad en sí misma.

b) La facilidad para identificar y acallar al perro guardián.

c) Habilidad para conseguir caricias positivas y permiso para darlas.

d) La persona es capaz de disfrutar, de pensar y de dar y recibir cariño o amor.

e) Aparece el sentimiento de que hay una mayor cantidad de opciones en su vida. Este sentimiento es lógicamente más relevante en las áreas que estaban más constreñidas por el guion.

f) Empezar a diseñar objetivos de futuro, que están orientados al bienestar personal, que no están ligados a fantasías (aunque no excluyen la ilusión) y por los que ve cómo empezar a trabajar desde el momento actual.

Además, hay otros indicativos difíciles de sistematizar y de expresar sobre un papel: modos de hablar, de moverse, sobre todo modos de sonreír y, en definitiva, modos de estar en el mundo con uno mismo y con los demás que denotan a las personas que abandonaron su guion en algún punto del camino.

21

MÁS ALLÁ DEL GUION

Y donde habíamos pensado encontrar algo abominable, encontraremos un dios; y donde habíamos pensado matar a otro, nos mataremos nosotros mismos; y donde habíamos pensado que salíamos, llegaremos al centro de nuestra propia existencia; y donde habíamos pensado que estaríamos solos, estaremos con el mundo.

Joseph Campbell, *El héroe de las mil caras*

El aleteo de una mariposa en China puede provocar un tornado en Arkansas. Quizá ya no haya excusa para no pensar –y esto es una llamada a la inteligencia, no a la bondad– que una caricia tuya puede evitar el próximo holocausto.

A. P. O'Criff, *Pensamientos mientras las termitas invaden mi casa*

En cierta ocasión asistí a un grupo supuestamente terapéutico donde saludabas y te despedías de la gente con grandes y ostentosos abrazos; incluso aunque el día anterior hubieras estado con alguno de ellos, era como si se llegase de un largo viaje. Las reglas no escritas del grupo pedían sentirse bien siempre; si alguien reivindicaba su derecho a expresar enfado o, simplemente, a no participar de la euforia del grupo, era tratado como un sucio saboteador digno de lástima, del que se suponían graves problemas internos que le impedían aceptar que todo iba de maravilla. Si cruzabas la mirada con algún participante y no te desencajabas la mandíbula en una sonrisa de oreja a oreja, alguien te preguntaría sobre el problema que te aquejaba. Esta confusión entre el bienestar interior y el equilibrio con un estado próximo a la idiotez beatífica, parece ser el propio de algunas agrupaciones y filosofías al uso, pero no tiene nada que ver con lo que aquí se propone.

Cuando alguien comienza a vivir después de un guion, no entra en un estado de felicidad permanente –o mejor dicho, de obligación de estar feliz– como el que parecen proponer grupos como el que se acaba de describir. Pero, igualmente, la persona que abandona un guion comprueba que no se cumplen las expectativas catastróficas; expectativas que con mayor o menor intensidad duran todo el tiempo que la persona se toma para ir estableciendo las bases de un nuevo modo de vivir. La diferencia entre las expectativas de catástrofe y lo que sucede después del guion está expresada de un modo poético y preciso en el párrafo de Joseph Campbell que encabeza este capítulo.

Quizá no sea exagerado decir que más allá del guion se pasa de personaje a persona real.

Las personas reales tienen derecho a tomar decisiones autónomas, y por tanto se pueden equivocar. Pero se equivocan ellos, y pueden rectificar en lugar de sentirse obligados a seguir por un camino que ya demostró no ser bueno para ellos.

También tienen derecho a la intimidad, el más alto grado de relación entre personas en el que hay libre expresión de sentimientos, ideas, deseos y creencias; sin embargo, aceptar un ofrecimiento de relación íntima no es obligatorio y alguien puede rechazarlos. Pero el rechazo no les llevará al aislamiento, ni hará tambalearse su autoestima.

Las personas reales saben, o intuyen, que las caricias son un bien abundante, y que no hay que ser cicatero ni tacaño en darlas, pedirlas o aceptarlas. Las caricias proporcionan buenas sensaciones para vivir, y las personas reales son hábiles en obtenerlas.

El hecho de ser una persona real no le libera a uno del sufrimiento que producen las manifestaciones de la injusticia y la opresión; a veces es angustioso estar vivo, y las personas reales lo saben mejor que nadie. Tampoco se está libre del dolor por la pérdida de lo que a uno le es querido. Pero no provocarán, ni facilitarán ni mantendrán, ni se regodearán en el sufrimiento y el dolor que les toque.

El ser una persona real no le hace a uno más inteligente, pero sí más lúcido, y le concede el permiso para ser todo lo inteligente que su capacidad permita.

Después del guion una persona puede ser engañada –aunque con más dificultad que antes–, por un timador, por una idea, o por un líder, pero perderá la necesidad compulsiva de engañarse y ser engañado.

Después del guion, parafraseando a Campbell, no se está solo sino con los demás. Es con los demás, cooperativamente, como podemos ampliar la lista de personas reales, pues nuestra esperanza en vivir mejor no puede estar fundamentada en esperar que el mundo cambie a las personas, sino en que las personas cambien el mundo.

BIBLIOGRAFÍA

ADLER, A. (1912). *El carácter neurótico.* Buenos Aires: Paidós, 1984.

ADLER, A. (1920). *Práctica y teoría de la psicología del individuo.* Buenos Aires: Paidós, 1961.

ALEMANY, C. (Ed.) (2000). *14 aprendizajes vitales.* (10ª ed.) Desclée De Brouwer. Bilbao.

ALLEN, J. R. y ALLEN, B. A. (1997). A new tipe of transactional analysis and one version of script work with a constructionist sensibility. *Transactional Analysis Journal, 27, 2,* 89-98.

BANDLER, R. y GRINDER, J. (1975). *La estructura de la magia.* Santiago de Chile: Cuatro Vientos, 1980.

BARRIOS, M. J. (1992). *El Análisis Transaccional y los límites del método científico.* Sevilla: Alfar.

BERNE, E. (1961). *Análisis Transaccional en psicoterapia.* Buenos Aires: Psique, 1976.

BERNE, E. (1963). *The structure and dynamics of organizations and groups.* Nueva York: Ballantine.

BERNE, E. (1964). *Juegos en que participamos*. Méjico: Diana, 1968.

BERNE, E. (1966). *Introducción al tratamiento de grupo*. Barcelona: Grijalbo,1983.

BERNE, E. (1970). *Hacer el amor*. Buenos Aires: Alfa, 1975

BERNE, E. (1973). *¿Qué dice usted después de decir hola?*. Barcelona: Grijalbo,1974.

BERNE, E. (1976). *Beyond games and scripts*. STEINER, C. y KERR, C. (Eds.), Nueva York: Ballantine.

BERTOLINO, A.; MIGLIONICO, A.; NOVELLINO, M. y SCAPICCHIO, P. L. (Eds.) (1996). *T. A. Papers. Tribute to Eric Berne*. Bisceglie, Italia: Editrice Don Uva.

CAMPBELL. J. (1949). *El héroe de las mil caras*. Méjico: Fondo de Cultura Económica, 1959.

CAREY, S. (1986). Are children fundamentally different... than adults? En *Thinking and learning skills. Vol. 2*. Hillsdale, N. J.: Enlbanm.

CASADO. L. (1986). La angustia en la formación del guion. *Revista de Psiquiatría y Psicología Humanista, 16*, 57-61.

CASADO, L. (1987). *Análisis Transaccional. Aquí y Ahora*. Barcelona: Biblioteca de Psiquiatría y Psicología Humanista.

CASADO, L. (1991). *La nueva pareja*. Barcelona: Kairós.

CLARKSON, P. (1992). *Transactional Analysis Psychotherapy*. London: Tavistock / Routledge.

CLARKSON, P. (1993). Transactional analysis as humanistic therapy. *Transactional Analysis Journal, 23, 1*, 36-41.

CORNELL, W. F. (1988). Life script theory: a critical review from a developmental perspective. *Transactional Analysis Journal, 18, 4*.

ERIKSON, E. (1950). *Infancia y Sociedad.*, Buenos Aires: Hormé, 1970.

ESTERSON, A. (1975). Entrevista. En *La otra locura.* Barcelona: Tusquets , 1976.

FRANKL, V. (1963). *El hombre en busca de destino.* Barcelona: Herder, 1980.

FRANKL, V. (1977). *Ante el vacío existencial. Hacia una humanización de la psicoterapia.* Barcelona: Herder, 1987.

FREUD, A. (1945). *Infants without families.* Nueva York: Int. Univ. Press.

FREUD, S. (1914). Recuerdo, Repetición y Elaboración. *Obras Completas II,* Madrid: Biblioteca Nueva, 1967.

FREUD, S. (1920). Más allá del principio del placer. *Obras Completas III,* Madrid: Biblioteca Nueva, 1967.

GARCÍA-MONGE, J. A.(1999) *Treinta palabras para la madurez.* (8ª ed) Desclée De Brouwer. Bilbao.

HARRIS, T. (1969). *Yo estoy bien, Tú estás bien.* Barcelona: Grijalbo, 1973.

JUNG, C. G. (1920). *Tipos psicológicos.* Buenos Aires: Edhasa, 1964.

KAHLER, T. y CAPERS, H. (1974). El Miniguion. *Revista de Psiquiatría y Psicología Humanista , 8,* 23-38.

KARPMAN, S. (1968). Fairy tales and script drama analysis. *Transactional Analysis Bulletin, 7,* 26, 39-43.

KARPMAN, S. (1991). Notes on the transference papers: transference as a game. *Transactional Analysis Journal, 21,* 136-140.

KAYE, K. (1982). *La vida mental y social del bebé. Cómo los padres crean personas.* Barcelona: Paidós.

KELLY, G. (1955). *Teoría de la personalidad. La Psicología de los Constructos Personales.* Buenos Aires: Troquel, 1966.

KERTESZ, R. (1973). *Introducción al Análisis Transaccional*. Buenos Aires: Paidós.

LAING, R. D. (1960). *El yo dividido*. Méjico: Fondo de Cultura Económica,1964.

LAING, R. D. (1969). *El cuestionamiento de la familia*. Buenos Aires: Paidós, 1986, 3ª reimpresión.

LARKIN, J. H. (1983). Teaching problem solving in physics. En *Problem solvings Education*. Hillsdale, N. J.: Erlbanm.

LINDSAY, P. Y NORMAN, D. (1972). *Procesamiento de información humana*. Madrid: Tecnos. 1976.

MANNONI, M. (1965). *La primera entrevista con el psicoanalista*. Barcelona: Gedisa, 1979.

MAQUIRRAIN, J. M. (1988). *Intimidad humana y Análisis Transaccional*. Madrid: Narcea.

MARTORELL, J. L. (1983). *¿Qué nos pasa una y otra vez? Análisis Transaccional en la Familia*. Madrid: Marsiega.

MARTORELL, J. L. (1986). Posición existencial y relaciones objetales. *Revista de Psiquiatría y Psicología Humanista, 16*, 14-18.

MARTORELL, J. L. (1987). Guiones enganchados. *Revista de Psiquiatría y Psicología Humanista, 21*, 37-42.

MARTORELL, J. L. (1994). Mystification and power games in couples therapy. *Transactional Analysis Journal, 24, 4*, 240-249.

MARTORELL, J. L. (1996). *Psicoterapias. Escuelas y conceptos básicos*. Madrid: Pirámide.

MARTORELL, J. L. (1998). Del mentalismo al constructivismo: el peregrinaje de una teoría. *Revista de Psicoterapia, 9, 33*, 5-14.

MARTORELL, J. L. (1998). *El análisis de juegos transaccionales. Una aplicación en el conflicto familiar*. UCM: Tesis Doctoral.

Massey, R. (1990). Berne's transactional analysis as a neo-freudian/neo-adlerian perspective. *Transactional Analysis Journal, 20, 3,* 173-186.

May, R. (comp.) (1961). *Psicología Existencial.* Buenos Aires: Paidós, 1963.

May, R. (1982). The problem of evil: An open letter to Carl Rogers. *Journal of Humanistic Psychology, 22,* 10-21.

Mayer, R. (1981). *El futuro de la psicología cognitiva.* Madrid: Alianza, 1985.

McClelland, D. (1961). *The achieving society.* Princeton: Van Nostrand.

Novellino, M. y Moiso, C. (1990). The psychodynamic approach to Transactional Analysis. *Transactional Analysis Journal, 20, 3,* 69-83.

Parry, A. (1997). Why we tell stories: The narrative construction of the reality. *Transactional Analysis Journal, 27, 2,* 118-127.

Pérez Álvarez, M. (1996). *Tratamientos psicológicos.* Madrid: Universitas.

Rank, O. (1910). *El mito del nacimiento del héroe.* Buenos Aires: Paidós, 1981.

Revista De Psicoterapia. (1998). *Monográfico: Análisis Transaccional, 9,* 33.

Revista De Psiquiatría Y Psicología Humanista. (1984). *Monográfico: Análisis Transaccional, 8.*

Revista De Psiquiatría Y Psicología Humanista. (1987). *Monográfico: El Análisis Transaccional después de Berne, 16.*

Ríos, J. A. (1980). *El padre en la dinámica personal del hijo.* Barcelona Científico-Médica.

Ríos, J. A. (1994). *Manual de Orientación y terapia familiar*. Madrid: Instituto de Ciencias del Hombre, 2ª edición.

Richo, D. (2000). *Cómo llegar a ser un adulto.*(2ª ed). Desclée De Brouwer. Bilbao.

Rogers, C. (1961). *El proceso de convertirse en persona*. Buenos Aires: Paidós, 1971.

Román, J. M.; Senlle, A.; Pastor, E.; Poblete, M. y Gutiérrez, G. (1983). *Análisis Transaccional. Modelo y Aplicaciones*. Barcelona: Ceac.

Rosal, R. y Gimeno, A. (1986). Guiones de soledad en las nuevas generaciones. *Revista de Psiquiatría y Psicología Humanista, 12*, 52-69.

Schiff, J. L.; Schiff, A.; Mellor, K.; Schiff, E.; Schiff, S.; Richman, D.; Fishman, J.; Wolz, L.; Fishman, C. y Momb, D. (1975). *Cathexis reader: transactional analysis treatment of psychosis*. Nueva York: Harper & Row.

Senlle, A. (1984). Resumen introductorio al análisis del guion. *Revista de Psiquiatría y Psicología Humanista, 8*, 3-9.

Spitz, R. (1965). *El primer año de la vida del niño.* Méjico: Fondo de Cultura Económica, 1969.

Steiner, C. (1971). Los principios de la Psiquiatría Radical. En *La otra locura*. Barcelona: Tusquets, 1976.

Steiner, C. (1971). La economía de caricias. *Revista de Psiquiatría y Psicología Humanista 16*, 25-30.

Steiner, C. (1974). *Libretos en que participamos*. Méjico: Diana, 1980 [nueva traducción: *Los guiones que vivimos*. Barcelona: Kairós, 1992).

Steiner, C. (1981). *The other side of power*. Nueva York: Grove Press.

STEINER, C. (1984). El Padre Cerdo. *Revista de Psiquiatría y Psicología Humanista 8*, 39-40.

STEINER, C. (1998). El Análisis Transaccional en la era de la información. *Revista de Psicoterapia, 9, 33*, 29-44.

STEINER, C. y WYCKOFF, H. (1974). Programación de libreto del papel sexual en hombres y mujeres. En STEINER, C.: *Libretos en que participamos*. Méjico: Diana, 1980.

WINNICOTT, D. W. (1971). *Realidad y Juego*. Barcelona: Gedisa, 1979.

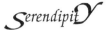

Serendipity

DIRECTORA: OLGA CASTANYER
Últimos títulos publicados

110. *La mente o la vida. Una aproximación a la Terapia de Aceptación y Compromiso.* JORGE BARRACA MAIRAL (2ª ed.)

111. *¡Deja de controlarme! Qué hacer cuando la persona a la que queremos ejerce un dominio excesivo sobre nosotros.* RICHARD J. STENACK

112. *Responde a tu llamada. Una guía para la realización de nuestro objetivo vital más profundo.* JOHN P. SCHUSTER

113. *Terapia meditativa. Un proceso de curación desde nuestro interior.* M.L. EMMONS Y J. EMMONS

114. *El espíritu de organizarse. Destrezas para encontrar el significado a sus tareas.* P. KRISTAN

115. *Adelgazar: el esfuerzo posible. Un sistema gradual para superar la obesidad.* A. CÓZAR

116. *Crecer en la crisis. Cómo recuperar el equilibrio perdido.* ALEJANDRO ROCAMORA (3ª ed.)

117. *Rabia sana. Cómo ayudar a niños y adolescentes a manejar su rabia.* B. GOLDEN (2ª ed.)

118. *Manipuladores cotidianos. Manual de supervivencia.* JUAN CARLOS VICENTE CASADO

119. *Manejar y superar el estrés. Cómo alcanzar una vida más equilibrada.* ANN WILLIAMSON

120. *La integración de la terapia experiencial y la terapia breve. Un manual para terapeutas y consejeros.* BALA JAISON

121. *Este no es un libro de autoayuda. Tratado de la suerte, el amor y la felicidad.* L. R. GUERRA

122. *Psiquiatría para el no iniciado.* RAFA EUBA (2ª ed.)

123. *El poder curativo del ayuno. Recuperando un camino olvidado hacia la salud.* KARMELO BIZKARRA (4ª ed.)

124. *Vivir lo que somos. Cuatro actitudes y un camino.* ENRIQUE MARTÍNEZ LOZANO (4ª ed.)

125. *La espiritualidad en el final de la vida. Una inmersión en las fronteras de la ciencia.* IOSU CABODEVILLA ERASO (2ª ed.)

126. *Regreso a la conciencia.* AMADO RAMÍREZ

127. *Las constelaciones familiares. En resonancia con la vida.* PETER BOURQUIN (14ª ed.)

128. *El libro del éxito para vagos. Descubra lo que realmente quiere y cómo conseguirlo sin estrés.* THOMAS HOHENSEE

129. *Yo no valgo menos. Sugerencias cognitivo- humanistas para afrontar la culpa y la vergüenza.* OLGA CASTANYER (4ª ed.)

130. *Manual de Terapia Gestáltica aplicada a los adolescentes.* LORETTA CORNEJO (5ª ed.)

131. *¿Para qué sirve el cerebro? Manual para principiantes.* Javier Tirapu (2ª ed.)

132. *Esos seres inquietos. Claves para combatir la ansiedad y las obsesiones.* AMADO RAMÍREZ

133. *Dominar las obsesiones. Una guía para pacientes.* PEDRO MORENO, JULIO C. MARTÍN, JUAN GARCÍA Y ROSA VIÑAS (5ª ed.)

134. *Cuidados musicales para cuidadores. Musicoterapia Autorrealizadora para el estrés asistencial.* CONXA TRALLERO FLIX Y JORDI OLLER VALLEJO

135. *Entre personas. Una mirada cuántica a nuestras relaciones humanas.* TOMEU BARCELÓ

136. *Superar las heridas. Alternativas sanas a lo que los demás nos hacen o dejan de hacer.* WINDY DRYDEN

137. *Manual de formación en trance profundo. Habilidades de hipnotización.* IGOR LEDOCHOWSKI

138. *Todo lo que aprendí de la paranoia.* CAMILLE

139. *Migraña. Una pesadilla cerebral.* ARTURO GOICOECHEA (7ª ed.)

140. *Aprendiendo a morir.* IGNACIO BERCIANO PÉREZ

141. *La estrategia del oso polar. Cómo llevar adelante tu vida pese a las adversidades.* H. MORITZ

142. *Mi salud mental: Un camino práctico.* EMILIO GARRIDO LANDÍVAR

143. *Camino de liberación en los cuentos. En compañía de los animales.* ANA MARÍA SCHLÜTER

144. *¡Estoy furioso! Aproveche la energía positiva de su ira.* ANITA TIMPE

145. *Herramientas de Coaching personal.* FRANCISCO YUSTE (4ª ed.)

146. *Este libro es cosa de hombres. Una guía psicológica para el hombre de hoy.* RAFA EUBA
147. *Afronta tu depresión con psicoterapia interpersonal. Guía de autoayuda.* JUAN GARCÍA SÁNCHEZ Y PEPA PALAZÓN RODRÍGUEZ (2ª ed.)
148. *El consejero pastoral. Manual de "relación de ayuda" para sacerdotes y agentes de pastoral.* ENRIQUE MONTALT ALCAYDE
149. *Tristeza, miedo, cólera. Actuar sobre nuestras emociones.* DRA. STÉPHANIE HAHUSSEAU
150. *Vida emocionalmente inteligente. Estrategias para incrementar el coeficiente emocional.* GEETU BHARWANEY
151. *Cicatrices del corazón. Tras una pérdida significativa.* ROSA Mª MARTÍNEZ GONZÁLEZ (2ª ed.)
152. *Ojos que sí ven. "Soy bipolar" (Diez entrevistas).* ANA GONZÁLEZ ISASI - ANÍBAL C. MALVAR
153. *Reconcíliate con tu infancia. Cómo curar antiguas heridas.* ULRIKE DAHM (2ª ed.)
154. *Los trastornos de la alimentación. Guía práctica para cuidar de un ser querido.* JANET TREASURE - GRÁINNE SMITH - ANNA CRANE (2ª ed.)
155. *Bullying entre adultos. Agresores y víctimas.* PETER RANDALL
156. *Cómo ganarse a las personas. El arte de hacer contactos.* BERND GÖRNER
157. *Vencer a los enemigos del sueño. Guía práctica para conseguir dormir como siempre habíamos soñado.* CHARLES MORIN
158. *Ganar perdiendo. Los procesos de duelo y las experiencias de pérdida: Muerte - Divorcio - Migración.* MIGDYRAI MARTÍN REYES
159. *El arte de la terapia. Reflexiones sobre la sanación para terapeutas principiantes y veteranos.* PETER BOURQUIN (2ª ed.)
160. *El viaje al ahora. Una guía sencilla para llevar la atención plena a nuestro día a día.* JORGE BARRACA MAIRAL
161. *Cómo envejecer con dignidad y aprovechamiento.* IGNACIO BERCIANO
162. *Cuando un ser querido es bipolar. Ayuda y apoyo para usted y su pareja.* CYNTHIA G. LAST
163. *Todo lo que sucede importa. Cómo orientar en el laberinto de los sentimientos.* FERNANDO ALBERCA DE CASTRO (2ª ed.)
164. *De cuentos y aliados. El cuento terapéutico.* MARIANA FIKSLER
165. *Soluciones para una vida sexual sana. Maneras sencillas de abordar y resolver los problemas sexuales cotidianos.* DRA. JANET HALL
166. *Encontrar las mejores soluciones mediante Focusing. A la escucha de lo sentido en el cuerpo.* BERNADETTE LAMBOY
167. *Estrésese menos y viva más. Cómo la terapia de aceptación y compromiso puede ayudarle a vivir una vida productiva y equilibrada.* RICHARD BLONNA
168. *Cómo superar el tabaco, el alcohol y las drogas.* MIGUEL DEL NOGAL TOMÉ
169. *La comunicación humana: una ventana abierta.* CARLOS ALEMANY BRIZ
170. *Aprender de la ansiedad. La sabiduría de las emociones.* PEDRO MORENO (4ª ed.)
171. *Comida para las emociones. Neuroalimentación para que el cerebro se sienta bien.* S. KRSTINIĆ
172. *Cuidar al enfermo. Migajas de psicología.* LUCIANO SANDRIN
173. *Yo te manejo, tú me manejas. El poder de las relaciones cotidianas.* PABLO POBLACIÓN
174. *Crisis, crecimiento y despertar. Claves y recursos para crecer en consciencia.* ENRIQUE MARTÍNEZ LOZANO (4ª ed.)
175. *Cuaderno de trabajo para el tratamiento corpomental del trastorno de estrés postraumático (TEPT). Programa para curar en 10 semanas las secuelas del trauma.* STANLEY BLOCK, doctor en medicina y CAROLYN BRYANT BLOCK
176. *El joven homosexual. Cómo comprenderle y ayudarle.* JOSÉ IGNACIO BAILE AYENSA
177. *Sal de tu mente, entra en tu vida. La nueva Terapia de Aceptación y Compromiso.* S. HAYES
178. *Palabras caballo. Fuerza vital para el día a día.* JUAN-MIGUEL FERNÁNDEZ-BALBOA (2ª ed.)
179. *Fibromialgia, el reto se supera. Evidencias, experiencias y medios para el afrontamiento.* BRUNO MOIOLI (2ª ed.)
180. *Diseña tu vida. Atrévete a cambiar.* DIANA SÁNCHEZ GONZÁLEZ Y MAR MEJÍAS GÓMEZ (2ª ed.)

181. *Aprender psicología desde el cine.* JOSÉ ANTONIO MOLINA Y MIGUEL DEL NOGAL (2ª ed.)
182. *Un día de terapia. Radiografía de las emociones.* RAFAEL ROMERO RICO
183. *No lo dejes para mañana. Guía para superar la postergación.* PAMELA S. WIEGARTZ, PH.D. Y LEVIN L. GYOERKOE, PSY.D.
184. *Yo decido. La tecnología con alma.* JOSÉ LUIS BIMBELA PEDROLA (2ª ed.)
185. *Aplicaciones de la asertividad.* OLGA CASTANYER (5ª ed.)
186. *Manual práctico para el tratamiento de la timidez y la ansiedad social. Técnicas demostradas para la superación gradual del miedo.* M. M. ANTONY y R. P. SWINSON (2ª ed.)
187. *A las alfombras felices no les gusta volar. Un libro de (auto) ayuda... a los demás.* JAVIER VIDAL-QUADRAS
188. *Gastronomía para aprender a ser feliz. PsiCocina socioafectiva.* A. RODRÍGUEZ HERNÁNDEZ
189. *Guía clínica de comunicación en oncología. Estrategias para mantener una buena relación durante la trayectoria de la enfermedad.* JUAN JOSÉ VALVERDE, MAMEN GÓMEZ COLLDEFORS Y AGUSTÍN NAVARRETE MONTOYA
190. *Ponga un psiquiatra en su vida. Manual para mejorar la salud mental en tiempos de crisis.* JOSÉ CARLOS FUERTES ROCAÑÍN
191. *La magia de la PNL al descubierto.* BYRON LEWIS
192. *Tunea tus emociones.* JOSÉ MANUEL MONTERO
193. *La fuerza que tú llevas dentro. Diálogos clínicos.* ANTONIO S. GÓMEZ
194. *El origen de la infelicidad.* REYES ADORNA CASTRO
195. *El sentido de la vida es una vida con sentido. La resiliencia.* ROCÍO RIVERO LÓPEZ
196. *Focusing desde el corazón y hacia el corazón. Una guía para la transformación personal.* EDGARDO RIVEROS AEDOS
197. *Programa Somne. Terapia psicológica integral para el insomnio: guía para el terapeuta y el paciente.* ANA MARÍA GONZÁLEZ PINTO • CARLOS JAVIER EGEA • SARA BARBEITO (COORDS.)
198. *Poesía terapéutica. 194 ejercicios para hacer un poema cada día.* REYES ADORNA CASTRO Y JAIME COVARSÍ CARBONERO
199. *Abre tu consciencia.* JOSÉ ANTONIO GONZÁLEZ SUÁREZ Y DAVID GONZÁLEZ PUJANA (2ª ed.)
200. *Ya no tengo el alma en pena.* ROSSE MACPHERSON
201. *Ahora que he decidido luchar con esperanza. Guía para vencer el apetito.* JOSÉ LUIS LÓPEZ MORALES, ENRIQUE JAVIER GARCÉS DE LOS FAYOS RUIZ
202. *El juego de la vida Mediterránea.* MAURO GARCÍA TORO
203. *16 Ideas para vivir de manera plena. Experiencias y reflexiones de un médico de familia.* DANIEL FRANCISCO SERRANO COLLANTES
204. *Transformación emocional. Un viaje a través de la escritura terapéutica.* NOELIA MENDIVE
205. *Acompañar en el duelo. De la ausencia de significado al significado de la ausencia.* MANUEL NEVADO, JOSÉ GONZÁLEZ (2ª ed.)
206. *Quiero aprender... a conocerme.* OLGA CAÑIZARES, DOMINGO DELGADO (2ª ed.)
207. *Quiero aprender cómo funciona mi cerebro emocional.* IVÁN BALLESTEROS
208. *Remonta tu vuelo. Más allá de la fibromialgia hacia una nueva vida.* FÁTIMA GALLASTEGUI
209. *Vivir con el trastorno límite de la personalidad. Una guía clínica para pacientes.* ÁLVARO FRÍAS IBÁÑEZ (2ª ed.)
210. *Quiero aprender a quererme con asertividad.* OLGA CASTANYER
211. *Póker a la dieta. El juego para alcanzar tu peso ideal y mantenerlo de una forma natural y sencilla.* FEDERICA TROMBETTA
212. *Recupera tu autonomía y bienestar personal.* JOSÉ ANTONIO GONZÁLEZ SUÁREZ
213. *¿A qué he venido yo aquí? Guía para comprender y mejorar la memoria.* LAURA VERA
214. *Quiero aprender... a ser más eficiente en el trabajo.* YOLANDA CAÑIZARES GIL
215. *Vivir con una persona con trastorno límite de la personalidad. Una guía clínica para familiares y allegados.* ÁLVARO FRÍAS IBÁÑEZ (EDITOR)
216. *La preocupación inútil.* LAURA VERA PATIER

Serie MAIOR

30. *Más magia de la metáfora. Relatos de sabiduría para aquellas personas que tengan a su cargo la tarea de Liderar, Influenciar y Motivar.* NICK OWEN
31. *Pensar bien - Sentirse bien. Manual práctico de terapia cognitivo-conductual para niños y adolescentes.* PAUL STALLARD
32. *Ansiedad y sobreactivación. Guía práctica de entrenamiento en control respiratorio.* PABLO RODRÍGUEZ CORREA
33. *Amor y violencia. La dimensión afectiva del maltrato.* PEPA HORNO GOICOECHEA (2ª ed.)
34. *El pretendido Síndrome de Alienación Parental. Un instrumento que perpetúa el maltrato y la violencia.* SONIA VACCARO - CONSUELO BAREA PAYUETA
35. *La víctima no es culpable. Las estrategias de la violencia.* OLGA CASTANYER (Coord.); PEPA HORNO, ANTONIO ESCUDERO E INÉS MONJAS (2ª ed.)
36. *El tratamiento de los problemas de drogas. Una guía para el terapeuta.* M. DEL NOGAL (2ª ed.)
37. *Los sueños en psicoterapia gestalt. Teoría y práctica.* ÁNGELES MARTÍN (2ª ed.)
38. *Medicina y terapia de la risa. Manual.* RAMÓN MORA RIPOLL
39. *La dependencia del alcohol. Un camino de crecimiento.* THOMAS WALLENHORST
40. *El arte de saber alimentarte. Desde la ciencia de la nutrición al arte de la alimentación.* KARMELO BIZKARRA (4ª ed.)
41. *Vivir con plena atención. De la aceptación a la presencia.* VICENTE SIMÓN (2ª ed.)
42. *Empatía terapéutica. La compasión del sanador herido.* JOSÉ CARLOS BERMEJO
43. *Más allá de la Empatía. Una Terapia de Contacto-en-la-Relación.* RICHARD G. ERSKINE - JANET P. MOURSUND - REBECCA L. TRAUTMANN (2ª ed.)
44. *El oficio que habitamos. Testimonios y reflexiones de terapeutas gestálticas.* Á. MARTÍN (ED.)
45. *El amor vanidoso. Cómo fracasan las relaciones narcisistas.* BÄRBEL WARDETZKI
46. *Diccionario de técnicas mentales. Las mejores técnicas de la A a la Z.* CLAUDIA BENDER - MICHAEL DRAKSAL
47. *Humanizar la asistencia sanitaria. Aproximación al concepto.* JOSÉ CARLOS BERMEJO (2ª ed.)
48. *Herramientas de coaching ejecutivo.* FRANCISCO YUSTE (2ª ed.)
49. *La vocación y formación del psicólogo clínico.* A. POLAINO-LORENTE Y G. PÉREZ ROJO (COORDS.)
50. *Detrás de la pared. Una mirada multidisciplinar acerca de los niños, niñas y adolescentes expuestos a la violencia de género.* SOFÍA CZALBOWSKI (COORD.) (2ª ed.)
51. *Hazte experto en inteligencia emocional.* OLGA CAÑIZARES; CARMEN GARCÍA DE LEANIZ; OLGA CASTANYER; IVÁN BALLESTEROS; ELENA MENDOZA (2ª ed.)
52. *Counseling y cuidados paliativos.* ESPERANZA SANTOS Y JOSÉ CARLOS BERMEJO (2ª ed.)
53. *Eneagrama para terapeutas.* CARMELA RUIZ DE LA ROSA
54. *Habilidades esenciales del counseling. Guía práctica y de aplicación.* SANDY MAGNUSON y KEN NOREM
55. *Río, luego existo. Guía completa para curiosos, talleristas y dinamizadores de grupo. Risoterapia integrativa.* M. ROSA PARÉS Y JOSÉ MANUEL TORRES
56. *Fuerzas que sanan. Constelaciones sistémicas sobre enfermedad y salud.* PETER BOURQUIN (ED.)
57. *Herramientas de coaching: una aplicación práctica.* PACO YUSTE PAUSA
58. *Ilusión positiva. Una herramienta casi mágica para construir tu vida.* LECINA FERNÁNDEZ
59. *Cuando nada tiene sentido. Reflexiones sobre el suicidio desde la logoterapia.* ALEJANDRO ROCAMORA BONILLA
60. *Apego y psicopatología: la ansiedad y su origen. Conceptualización y tratamiento de las patologías relacionadas con la ansiedad desde una perspectiva integradora.* MANUEL HERNÁNDEZ PACHECO (5ª ed.)
61. *Trauma y presencia.* PETER BOURQUIN (Ed.)
62. *Personas altamente sensibles. Claves psicológicas y espirituales.* RAFAEL PARDO (2ª ed.)
63. *El eneagrama, el origen. Libro de consulta.* MACARENA MORENO-TORRES